ESPAÑOL 2000

gramática

JESÚS SÁNCHEZ LOBATO
NIEVES GARCÍA FERNÁNDEZ

ESPAÑOL
2000
gramática

SOCIEDAD GENERAL ESPAÑOLA DE LIBRERÍA, S. A.

Primera edición, 1996

Produce: SGEL Educación
Marqués de Valdeiglesias, 5, 1.º - 28004 MADRID

© Jesús Sánchez Lobato y
Nieves García Fernández, 1996
© Sociedad General Española de Librería, S. A., 1996
Avda. Valdelaparra, 29 - 28100 ALCOBENDAS - MADRID

Cubierta: Erika Hernández
Maqueta: C. Campos

ISBN: 84-7143-563-2
Depósito Legal: M-11576-1996
Impreso en España - Printed in Spain

Composición: Nueva Imprenta, S. A.
Impresión: SITTIC, S. A.
Encuadernación: Rústica Hilo, S. L.

prólogo

La **Gramática Español 2000** responde al concepto de Lengua Española que subyace en los tres niveles **(Elemental, Medio** y **Superior)** del Método de español para Extranjeros **Español 2000.** Su concepción y contenido, por lo tanto, van dirigidos especialmente a los alumnos de español como lengua extranjera. Ello no obsta para afirmar que las normas, observaciones y precisiones que se formulan en esta gramática son de enorme utilidad, incluso, para el hablante nativo, ya que la lengua aquí estudiada responde a la modalidad del español hablado más comúnmente aceptada: la norma culta.

La Gramática está concebida como guía y complemento del **Español 2000** en sus tres niveles: **Elemental, Medio** y **Superior,** por lo que se ha estructurado en un claro orden lineal: del sonido a la expresión oracional.

Asimismo, hemos tenido en cuenta, en todo su desarrollo, el grado de dificultad que puede entrañar el sistema de la lengua española para el alumno y hemos hecho hincapié en resolver aquellas dificultades que nuestra experiencia docente nos aconseja que inciden con más frecuencia en el aprendizaje del español como lengua extranjera. El punto de vista del profesor ha estado presente en la elaboración didáctica de la obra.

La idea gramatical que ha presidido la confección de esta obra ha huido por igual de terminologías novedosas y de conceptos controvertidos. Hemos procurado, en todo momento, que pueda ser utilizada desde cualquier posición didáctica y por cualquier alumno de español.

La **Gramática,** por último, está estructurada de manera tal que, al final de cada capítulo, se hace referencia explícita a las unidades didácticas del Método **Español 2000,** con el fin de que el estudiante tenga presente su discurrir metodológico.

Los autores

contenido

contenido

contenido

contenido

contenido

capítulo I

de la pronunciación

alfabeto español

LECTURA			PRONUNCIACIÓN		
Mayúscula	Minúscula	Lectura	Letra	Sonido	Representación ortográfica
A	a	a	b	b	b beber, bajo v vino, vivir
B	b	be			
C	c	ce			
CH	ch	che	c z	z	c + e, i Cecilia, cielo, z + a, o, u Zaragoza, zorro, zueco, paz
D	d	de			
E	e	e	ch	ĉ	chico, muchacho
F	f	efe			
G	g	ge	g	g	g + a, o, u gato, gota, gutural gu + e, i guerra, guitarra
H	h	hache			
I	i	i	h	no se pronuncia	harina, heno
J	j	jota			
K	k	ka	k c qu	k no se pron. la u	k kilo, kilómetro c + a, o, u calor, color, cuna qu + e, i querer, quiosco
L	l	ele			
LL	ll	elle			
M	m	eme			
N	n	ene	j g	x	j + a, o, u, e, i jamás, joven, jueves Jesús, jinete g + e, i coger, dirigir, genio, gitano
Ñ	ñ	eñe			
O	o	o			
P	p	pe	r	r	cara, torero
Q	q	qu (ku)			
R	r	ere y erre	r rr	r̄	inicial, después río, alrededor, enredo de consonante y entre vocales carro, torre
S	s	ese			
T	t	te			
U	u	u	w	b	en palabras extranjeras: wagón-vagón
V	v	uve			
W	w	uve doble	x	s gs	x + consonante extranjero, extraño vocal + x + vocal examen, exigir
X	x	equis			
Y	y	i griega	y	y i i	y + vocal yo, leyes posición final ley, rey posición libre y, contar y comer
Z	z	zeta			

el alfabeto español

La letra **w** no se emplea sino en voces de procedencia extranjera; cuando se incorpora plenamente al sistema ortográfico español, se reemplaza por la letra **v**.

La **ch** corresponde a un solo sonido. Cuando se escribe mayúscula, sólo la **c** adopta tal forma, así *China, Chelo.*

La letra **ll** corresponde a un solo sonido; en caso de mayúscula inicial de palabra, esta forma sólo afecta a la primera, así *Llodio, Llanto.*

La letra **rr** corresponde a un sonido diferente del de la simple **r**. Se escribe sólo en posición interior de palabra y entre vocales: *arroz, pizarra,* nunca en posición inicial. Cuando va en posición inicial o siguiendo a una consonante se escribe el signo sencillo de **r**.

El signo **h** no se corresponde en la actualidad a ningún sonido en pronunciación cuidada. En la pronunciación popular, y en algunas regiones, corresponde a una leve aspiración.

correspondencia entre fonemas y letras

FONEMAS	EJEMPLOS	LETRAS
a	arte, haba	a, ha
b	bate, vino, wagón	b, v, w
z	cebo, Zaragoza, cielo	c, z
ch	chica, Chueca	ch
d	dedo, dar	d
e	enero, helado	e, he
f	fin, flan	f
g	gato, guerra, guitarra	g, gu
i	ilusión, hoy, histeria	i, y, hi
j	jamón, gerente	j, g
k	casa, kilo, que	c, k, qu
l	lata	l
ll	llano	ll
m	mano, mensaje	m
n	nariz	n
ñ	niño	ñ
o	océano, hotel	o, ho
p	piso, placer	p
r	duro	r
rr	carro, alrededor, risa	rr, r
s	señal	s
t	tapia	t
u	una, humano	u, hu

NOTA

B, V, W ⟶ b
C, Z ⟶ z
G, GU ⟶ g
Y, HI ⟶ i
J, G ⟶ J
C, K, QU ⟶ k
R, RR ⟶ r

cuadro de los sonidos del español

Consonantes	Bilabial sorda	Bilabial sonora	Labiodental sorda	Labiodental sonora	Dental sorda	Dental sonora	Interdental sorda	Interdental sonora	Alveolar sorda	Alveolar sonora	Palatal sorda	Palatal sonora	Velar sorda	Velar sonora
Oclusiva	p	b			t	d							k	g
Fricativa		β	f				θ	ð	s	LS		ʝ	X	Y
Africada											c	ļ̂		
Nasal		m		ɱ		ṇ		ṇ		n		ṋ		ŋ
Lateral						ḷ		ḷ		l		ʎ		
Vibrante simple										r				
Vibrante múltiple										r̄				

Vocales		Anterior	Central	Posterior
Semiconsonante		J		W
Semivocal		i̯		u̯
Cerrada		i		u
Media		e		o
Abierta			a	

cuadro de los fonemas del español

	Bilabial sorda	Bilabial sonora	Labiodental sorda	Labiodental sonora	Dental sorda	Dental sonora	Interdental sorda	Interdental sonora	Alveolar sorda	Alveolar sonora	Palatal sorda	Palatal sonora	Velar sorda	Velar sonora
Oclusiva	p	b			t	d							k	g
Fricativa			f				θ		S			ʝ	X	
Africada											c			
Nasal		m								n		ɲ		
Lateral										l		ʎ		
Vibrante simple										r				
Vibrante múltiple										r̄				

Vocales		Anterior	Central	Posterior
Cerrada		i		u
Media		e		o
Abierta			a	

atención

FONEMAS	REPRESENTACIÓN ORTOGRÁFICA	EJEMPLOS
/b/	b v	balón, Bolivia vivir, venir
/ø/	z (+ a, e, i, o, u) c (+ e, i)	zona, Zaragoza, zig-zag ciruela, Cecilia, cielo
/g/	g (+ a, o, u) gu (+ e, i) g (+ ü + e, i)	ganar, gorra, gurú guerra, guitarra cigüeña, pingüino
/X/	g (+ e, i) j (+ vocal)	cirugía, génesis jamás, jota, julio, Jesús
/k/	c (+ a, o, u, o consonante) qu (+ e, i) k	casa, coser, cubrir, crema querer, quitar kilómetro
/r/	r	cara, caro, torero
/r̄/	r rr (entre vocales)	río, Ramón, alrededor, llamar carro, torre, barro

alfabeto fonético internacional

		Bila-bial	Labio-dental	Dental y alveolar	Retro-fleja	Palato-alveolar	Alveolo palatal	Palatal	Velar	Uvular	Farin-gal	Glotal
CONSONANTES	Explosivas (oclusivas y africadas)	p b		t d	ʈ ɖ			c ɟ	k g	q G		ʔ
	Nasales	m	ɱ	n	ɳ			ɲ	ŋ	N		
	Laterales fricativas			ɬ ɮ								
	Laterales no fricativas			l	ɭ			ʎ				
	Vibrantes múltiples			r						R		
	Vibrantes simples			ɾ	ɽ					ʀ		
	Fricativas	Φ β	f v	θ ð s z ɹ	ʂ ʐ	ʃ ʒ	ɕ ʑ	ɕ j	x ɣ	χ ʁ	ħ ʕ	ɦɦ
	Continuas no fricativas y semivocales	w ɥ	ꞵ	ɻ				j (ɥ)	(w)	ɭʁ		
VOCALES	Cerradas	(y ʉ ʮ)						i y i u ɯ u				
	Medio cerradas	(ɸ o)						e ɸ ɤ o				
	Medio abiertas	(œ ɔ)						ɛ œ ə ʌ ɔ				
	Abiertas	(ɐ)						æ ɐ ɒ aɒ				

(Según el esquema de I. M. Blecua, *Gramática española*, pág. 226.)

Las vocales del español pueden formar sílabas por sí mismas: a-e-re-o = *aéreo*. Asimismo, la combinación de vocal y consonante o de consonante y vocal pueden formar sílaba: can-sa-da = *cansada*, ar-bol = *árbol*.

Principios de delimitación silábica

a. Una consonante situada entre vocales se agrupa silábicamente en la vocal siguiente:

ca-sa, a-ro

b. Cuando dos consonantes van entre vocales, la primera consonante se une a la vocal anterior y la segunda, a la siguiente:

car-ta, den-so

Si la primera consonante es **/p, b, c, f, t, d, k, g/** y la segunda **/r/**, ambas consonantes se agrupan con la vocal siguiente:

pla-zo, a-bra-zo, fran-cés

Lo mismo ocurre cuando la primera consonante es **/p, b, c, f, k, g/** y la segunda es **/l/**:

co-pla, cla-mor, glán-du-la

c. Si son tres las consonantes intervocálicas, las dos primeras se agrupan con la vocal precedente y la tercera, con la que sigue:

trans-mi-tir, obs-ti-na-ción

Cuando las dos últimas consonantes forman grupos como los descritos en **b,** éstas se agrupan con la vocal siguiente:

as-tro, an-cla-do

d. Cuando cuatro consonantes van entre vocales, las dos primeras se unen a la vocal precedente y las dos últimas, a la siguiente:

abs-trac-to, cons-tru-ye

Diptongos

Se llama diptongo a la reunión de dos vocales en una misma sílaba. En español, la disposición normal del diptongo responde a las combinaciones siguientes:

1. **/a, e, o/ + i, u**

b*ai*-le, p*ei*-ne, b*oi*-na, **au**-ro-ra, C*eu*-ta, Sa-l**ou**

/i, u/ + a, e, o

p*ia*-ra, c*ie*-lo, la-b**io**, s**ua**-ve, es-c**ue**-la, o-bli-c**uo**

2. **iu, ui**

tr*iu*n-fo, j**ui**-cio.

Hiatos

Un hiato se forma por la concurrencia de dos o más vocales de la serie **/a, e, o/** en contigüidad. En ese caso, cada una de ellas constituye un núcleo silábico diferente y, por tanto, no se forma diptongo:

p*a*-*e*-lla	m*a*-r*e*-a	t*o*-*a*-lla
c*a*-*o*-ba	b*e*-*o*-do	p*o*-*e*-ma

Lo presentado en este capítulo se encuentra en **ESPAÑOL 2000,**

Nivel **elemental**: pág. 260.
Nivel **medio** : págs. 226-228.

15

capítulo II de la entonación

la entonación

Entendemos por entonación la disposición del mensaje para que sea comprendido en su integridad. La línea melódica con la que pronunciamos la frase añade determinados componentes que, unidos a las pausas y a los acentos de intensidad, desempeñan una doble función: por una parte sirven a la organización sintáctica cuando la oración se compone de varios miembros; por otra, contribuyen a poner de relieve las funciones **representativa, apelativa** y **expresiva** del lenguaje.

La función **representativa** del lenguaje es la que se centra en el contenido del mensaje:

He comprado el pan.

La función **apelativa** es aquella mediante la cual el hablante actúa sobre el oyente para llamar su atención o dirigir su voluntad:

¿Has comprado el pan?

La función **expresiva** es aquella mediante la cual el hablante expresa sus propios sentimientos o subjetiviza la información:

¡Has comprado pan!

la unidad melódica

Puede constar de una o más sílabas, de una o más palabras, pero en español predomina la unidad melódica de siete u ocho sílabas, y son raras las que exceden de quince. Una sola unidad melódica puede constituir una oración completa, cuando el enunciado es sencillo:

Sí, vete.
No vengas hoy.
El cielo puede esperar.

Por regla general, a partir de ocho sílabas se realiza, normalmente, una pausa, de manera que resultan dos unidades melódicas:

Oye, niño,   retira el cubo.
Voy a verte,   si estás en casa.

entonación enunciativa

Es la más neutra, la que corresponde a las oraciones más distanciadas de momentos expresivos y apelativos:

El calor adormece.
A mal tiempo, buena cara.
Anduvo por los prados, los montes y los caminos, perdido.

entonación interrogativa

Las oraciones interrogativas se pronuncian en un tono más alto que sus correspondientes enunciativas.

Hay que distinguir entre interrogativas **absolutas** o **totales,** e interrogativas **parciales** o **relativas.** Las totales contienen por lo menos una forma verbal, que suele situarse al comienzo de la frase. La pregunta se refiere a todo el contenido de la frase:

¿Ha venido el cura?

Las parciales inician la frase con un pronombre o adverbio interrogativo solo o precedido de una preposición: *quién, cuándo, por dónde:*

*¿**Quién** ha llamado?*
*¿**Cuándo** es el examen?*
*¿**Por dónde** han venido?*

entonación exclamativa

La entonación exclamativa se encuentra, a veces, en correlación con las interjecciones de todo tipo:

*¡**Oh,** qué agradable caso!*
*¡**Bravo**!*
*¡**Vaya,** no me digas!*

entonación voluntativa

Se halla en correlación con los modos verbales imperativo y subjuntivo:

*¡**Sal** de aquí!*

Desde el punto de vista de la entonación, el mandato coincide con la forma exclamativa:

*¡**Calla**!, ¡**Obedece**!*

Las formas en que se expresa un ruego o súplica tienen, en esencia, los rasgos generales de la entonación exclamativa:

*¡Por favor, **pásame** el balón!*

la entonación

a. En el discurso enunciativo:

La casa es alta.   *Los soldados lucharon mucho.*

Los niños son sanos, fuertes, alegres.

b. En el discurso interrogativo:

¿Quieres venir a casa?

¿Hablas inglés?

c. En el discurso exclamativo:

¡Qué susto!

¡Con muchísimo gusto!

el grupo fónico

Es la unidad de entonación y puede definirse como el fragmento de discurso comprendido entre dos pausas:

a. Enunciativo:

ma ñana salgo de viaje.

el día de Reyes tra jeron sus re galos

b. Interrogativo:

¿te vienes con no sotros?

¿con quién te marcharías de via je?

c. Exclamativo:

¡Qué pasteles más buenos!

Lo presentado en este capítulo se encuentra en **ESPAÑOL 2000,**

Nivel **elemental:** pág. 261.
Nivel **medio** : pág. 231.

capítulo **III** *de la acentuación*

el acento ortográfico

Recae siempre sobre una vocal, de acuerdo con las reglas siguientes:

Palabras oxítonas (▪ ▪ ▪́)

El acento recae sobre la última sílaba. Se acentúan ortográficamente las acabadas en vocal, **n** o **s**. Las restantes no llevan acento ortográfico:

> *pap**á**, caf**é**, zahor**í**, escuch**ó**, ceb**ú**...*
> *est**á**s, diecis**é**is, astrac**á**n, definici**ó**n...*
> *nevar, relo**j**, especial...*

Palabras paroxítonas (▪ ▪́ ▪)

El acento recae sobre la penúltima sílaba. Se acentúan ortográficamente las palabras acabadas en consonante que no sea **n** ni **s**. Las acabadas en vocal no se acentúan ortográficamente:

> *c**á**rcel, **á**lbum, r**á**dar, pl**á**cet...*
> *p**e**ras, c**o**ches, ti**e**nen, c**a**non...*
> *cos**e**cha, cali**e**nte, resp**e**to...*

Palabras proparoxítonas (▪́ ▪ ▪)

El acento recae sobre la antepenúltima sílaba. Se acentúan ortográficamente en todos los casos:

> *matem**á**tica, d**ó**mine, p**é**talo...*

Lo visto en el tema anterior sobre hiatos y diptongos se concreta aquí en las siguientes reglas:

ia, **ie**, **io**, **iu**, **ua**, **ue**, **ui**, **uo** equivalen a una sola sílaba, salvo si llevan acento escrito en la **i** o en la **u**:

> *hac**ia**, espec**ie**, lab**io**, c**iu**dad...*   *ten**í**a, conf**í**e, bald**í**o...*
> *ag**ua**, s**ue**lo, c**ui**dado, antig**uo**...*   *acent**ú**a, desvirt**ú**e, b**ú**ho...*

ae, **ao**, **ea**, **eo**, **oa**, **oe** equivalen a dos sílabas:

extrae, cacao, pedrea, jubileo, boa, oeste...
Jaén, faraón, apéate, alvéolo, hispanoárabe, poético...

de la acentuación

En español, la identificación de las palabras puede depender del acento. Algunas sólo difieren de otras en cuanto a la sílaba de máxima intensidad tonal. Así se distingue *título* (sustantivo) de *titulo* (verbo presente) y de *tituló* (verbo pasado).

cálculo	*calculo*	*calculó*
crítico	*critico*	*criticó*
diálogo	*dialogo*	*dialogó*
líquido	*liquido*	*liquidó*
público	*publico*	*publicó*

En los ejemplos anteriores, las diferencias de acentuación entre proparoxítonas *(esdrújulas)*, paroxítonas *(llanas)* y oxítonas *(agudas)* implican significados diferentes.

OXÍTONAS (AGUDAS) Acento en la última sílaba	Llevan tilde cuando acaban en vocal, **n** o **s**.
PAROXÍTONAS (LLANAS) Acento en la penúltima sílaba	Llevan tilde cuando acaban en consonante que no sea **n** ni **s**.
PROPAROXÍTONAS (ESDRÚJULAS) Acento en la antepenúltima sílaba	Llevan tilde siempre.

los diptongos

Siguen las reglas generales de acentuación, por lo que cuando el acento recae en una sílaba que lleva diptongo, la tilde ha de colocarse sobre la vocal más abierta:

*diecis**éi**s, **É**ufrates, c**á**ustico, hu**é**sped*

Si el diptongo es **ui** o **iu**, la tilde debe colocarse sobre la segunda vocal. Este caso sólo se da en palabras proparoxítonas (esdrújulas) u oxítonas (agudas):

*c**uí**date, h**uí***

Si, según las reglas generales, el acento recae en una sílaba que lleve triptongo, la tilde debe ponerse sobre la vocal más abierta, que ocupará, normalmente, el lugar central:

*averig**uái**s, santig**üéi**s*

vocales en hiato

Cuando dos vocales de la serie /**a**, **e**, **o**/ aparezcan juntas, llevará tilde aquella a la que le corresponda, según las reglas generales:

*pas**é**alo, de**á**n, af**eó**, ca**ó**tico*

Cuando la vocal tónica sea **i** o **u**, llevará tilde aunque según las reglas generales no le corresponda:

sonreír, leído, transeúnte

La tilde no se escribe cuando las vocales en contacto son **i**, **u**:

jesuita, destruir

demostrativos

Las palabras *este, esta, estos, estas, ese, esa, esos, esas, aquel, aquella, aquellos, aquellas,* no se acentúan nunca cuando cumplen la función de adjetivos, pero pueden llevar tilde cuando actúan como pronombres:

***Este** regalo es para Elena; **aquél,** para Tomás.*
Ese** coche ha chocado contra **éste.

Nunca llevan tilde *esto, eso* ni *aquello.*

la acentuación de los monosílabos

Los monosílabos no llevan tilde, excepto cuando existen dos monosílabos iguales en su forma, pero con distinta función gramatical:

él (pronombre)	*el* (artículo)
tú (pronombre)	*tu* (adjetivo posesivo)
mí (pronombre)	*mi* (adjetivo posesivo)
sí (adv. afirmación)	*si* (conjunción)
sé (verbo)	*se* (pronombre personal)
dé (verbo)	*de* (preposición)
más (adverbio de cantidad)	*mas =pero* (conjunción)
qué (interrogativo)	*que* (relativo)
cuál (interrogativo)	*cual* (relativo)
sólo (adverbio)	*solo* (adjetivo)
té (sustantivo)	*te* (pronombre personal)

clasificación de las palabras por el acento

Por el acento, las palabras se dividen en: *acentuadas* e *inacentuadas*.

a. Según la categoría gramatical, son acentuadas:

— Todas las formas verbales de la conjugación.
— Los nombres (sustantivos y adjetivos).
— Los adverbios.
— Los pronombres personales, dependiendo de su función sintáctica.
— Los posesivos, según su posición y su función sintáctica.

b. Si son capaces de constituir un enunciado por sí mismas, son acentuadas. En caso contrario, inacentuadas:

¿dónde?, adelante, ¡Fuera!

c. Las acentuadas pueden colocarse en cualquier lugar del grupo fónico. Las inacentuadas —a excepción de los pronombres personales átonos— no se colocan tras el último acento de intensidad del grupo fónico.

d. Son palabras inacentuadas:

— Los artículos *el, la lo, los, las.*
— Los posesivos *mi, tu, su,* y sus plurales; *nuestro/a, vuestro/a* y sus plurales.
— Los pronombres personales *me, te le, nos, os, les, lo, los, la, las, se.*
— Los pronombres relativos y correlativos, simples y compuestos: *que, quien, quienes, cuyo, cuya* y sus plurales; *cual* y *cuales.*
— Los adverbios relativos y correlativos: *como; cuando; donde* y *adonde; cuan, tan.*
— Las preposiciones simples y compuestas: *a, ante, bajo, con, conforme a, contra, de, desde, durante, en, entre, frente a, hacia, hasta, junto a, mediante, para, por, respecto a, según, sin, sobre, tras.*
— Las conjunciones coordinativas y subordinantes: *y, pero, si, aunque…*

e. Las palabras inacentuadas, a diferencia de las acentuadas, no pasan de tres sílabas.

acentuación de las palabras compuestas

Según la posición del acento, las palabras compuestas serán agudas (oxítonas), llanas (paroxítonas) o esdrújulas (proparoxítonas).

COMPUESTOS SINTÁCTICOS:

El único acento del compuesto es el correspondiente al último componente acentuado:

enhorabuena, tiovivo, ganapán, semicírculo

COMPUESTOS DE PREFIJO:

Siguen la regla general:

teléfono, prefijar, neoplatónico, autocrítica

COMPUESTOS DE ORDEN DIFERENTE:

El único acento prosódico del compuesto es el correspondiente al segundo componente:

puntiagudo, hincapié, abrelatas, marcapasos

COMPUESTOS POR PRÉSTAMO:

Siguen la regla general:

termómetro, petrolífero, grafólogo

COMPUESTOS POR ADJETIVOS:

En los compuestos formados por varios adjetivos, que normalmente suelen separarse mediante guiones, cada componente conserva su acento:

judeo-español, gótico-isabelino, jónico-dórico

acentuación de las letras mayúsculas

No hay razón para omitir el acento de las mayúsculas cuando, de acuerdo con las reglas generales, les corresponda llevarlo:

Álvaro, Ítaca, Ángel

CRÍTICA DE LA GEOGRAFÍA HISTÓRICA

palabras con doble acentuación

Los únicos casos de palabras que conservan dos acentos de intensidad son:

Los adverbios terminados en *-mente*:

cortésmente, fácilmente, histéricamente

— Las palabras formadas por dos o más que no llevan tilde, cuando resulte un vocablo esdrújulo, deberán acentuarse:

canta + le : cántale
estudia + te + lo : estúdiatelo

En las siguientes palabras, que presentan doble posibilidad de acentuación, la Real Academia Española da preferencia a las transcritas en primer lugar:

alveolo	*alvéolo*	*ibero*	*íbero*
amoniaco	*amoníaco*	*medula*	*médula*
austriaco	*austríaco*	*olimpiada*	*olimpíada*
cantiga	*cántiga*	*omóplato*	*omoplato*
cardiaco	*cardíaco*	*ósmosis*	*osmosis*
cónclave	*conclave*	*pentagrama*	*pentágrama*
chófer	*chofer*	*período*	*periodo*
etíope	*etiope*	*policiaco*	*policíaco*
fríjoles	*frijoles*	*políglota*	*poliglota*
fútbol	*futbol*	*reuma*	*reúma*
gladíolo	*gladiolo*	*tortícolis*	*torticolis*

Lo presentado en este capítulo
se encuentra en **ESPAÑOL 2000,**

Nivel **elemental** : pág. 261.
Nivel **medio** : pág. 229.
Nivel **superior** : pág. 23.

capítulo IV de la ortografía

los signos de puntuación

Uso de la coma (,)

La coma corresponde a una pequeña pausa que exige el sentido de la frase. Puede coincidir con el final de entidades gramaticales bien definidas, por lo que es posible establecer algunas reglas que ayuden a su uso:

a. Se separan con coma:

— Los elementos de una serie de palabras o de grupos de palabras —incluso de oraciones de idéntica función gramatical— cuando no van unidos por conjunción:

Tenemos guitarras, violines, laúdes, flautas, ...
Vinieron: Rosa con su marido, Juan y los niños, Pedro y María, ...
Estudia, levántate temprano, haz la casa y, además, trabaja.

— Los vocativos:

Niño, estate quieto.
Debes entender, Luis, que eso es imposible.

— Los incisos que interrumpen momentáneamente el curso de la oración:

Yo, que estuve en Berlín, no me enteré.

— Las locuciones y adverbios:

Nos dieron, sin embargo, unas buenas entradas.
Efectivamente, estuve en su casa.
Todo esto es inútil, en realidad.

b. Se escribe coma:

— Detrás de la oración subordinada, cuando precede a la principal:

Cuando está en la ciudad, se aloja en mi casa.

— Detrás de la prótasis condicional:

> *Si viene, que me espere.*
> *De no haber sido por ti, habría perdido el avión.*

— Ante las subordinadas consecutivas:

> *Ladran, luego cabalgamos.*

— Cuando se omite el verbo por ser el mismo de la oración anterior:

> *Yo me fui al fútbol; mi mujer, a la ópera.*

Uso del punto y coma (;)

El punto y coma marca una pausa más intensa que la determinada por la coma, pero menos que la exigida por el punto. Separa oraciones completas de cierta extensión, íntimamente relacionadas:

> *Estuve en el despacho ordenando papeles; ellos, en el salón, oyendo música.*

Uso de los dos puntos (:)

Se utilizan en los casos siguientes:

— Cuando se anuncia una cita literal en estilo directo:

> *Él me aseguró: «Estaré allí a las ocho».*

— Para anunciar una enumeración:

> *Hay tres clases de políticos: los sensatos, los insensatos y los que se dedican a sus negocios.*

Uso del punto (.)

Es la mayor pausa que puede señalarse ortográficamente. Se emplea cuando, terminada una oración, se da comienzo a otra.

> *No ha podido venir. No se encontraba bien.*

Se llama punto y aparte al que se pone al terminar un párrafo, si el texto continúa en otro renglón. Punto y seguido, cuando el texto sigue inmediatamente:

> *Al caer la tarde volvimos al hotel. Hicimos la maleta, pedimos la cuenta y nos marchamos al aeropuerto.*
> *Allí nos esperaba, toda preocupada, Lola.*

Uso de los puntos suspensivos (...)

Se emplean:

— Para dejar una oración incompleta, con su significado en suspenso:

Había allí multitud de flores, árboles, pájaros...

— Para indicar que un texto que se reproduce no está completo. En este caso, los puntos suspensivos se ponen entre paréntesis o entre corchetes.

— Para expresar duda o vacilación:

Espere... déjeme explicarle... es que yo...

— Después de *etcétera* o *etc.* nunca se ponen puntos suspensivos, por ser una redundancia.

Uso del paréntesis ( )

Se utiliza:

— Para interrumpir, con una frase aclarativa, el curso de la oración:

Jorge (que estaba de mal humor) le contestó de mala manera.

— Para ofrecer una explicación o desarrollar una abreviatura:

La ONU (Organización de las Naciones Unidas) ha declarado que...

Uso de las comillas (« »)

Se emplean:

— Para reproducir textualmente lo dicho o escrito por alguien:

El presidente ha manifestado: «Hay que mantener la calma».

— Para destacar neologismos o palabras usadas con un significado no habitual:

Tomás se dedica ahora al «puenting».
Estos gastos han dado un buen «pellizco» al presupuesto.

— Para resaltar incorrecciones de lenguaje:

Dice que ha ido al «fúrbol» en un «tasis».

— Para los sobrenombres o apodos:

Manuel Benítez, «El Cordobés».
Eleuterio Sánchez, «El Lute».

— Para los títulos de obras literarias o artísticas en general:

He leído «Viaje a la Alcarria», de Cela.
No puedo soportar la «Pastoral» de Beethoven.

— No deben escribirse entre comillas los nombres oficiales de empresas, instituciones, partidos políticos, cines, teatros, agencias de noticias, etc.

Uso de la diéresis (¨)

La diéresis se utiliza para indicar que la **u** debe pronunciarse en las combinaciones *gue,* y *gui:*

lengüeta, desagüe, pingüino, argüir

Uso del guión (-)

El guión corto sirve para unir las dos partes de un término compuesto:

franco-alemán, coche-cama

El guión largo se usa en los diálogos para indicar los párrafos de cada interlocutor:

—¿Cómo vienes a estas horas?
—Es que el tráfico está horroroso...
—¡Eso no es excusa!

También se emplea el guión largo para marcar los incisos dentro de una oración, con la misma función que hemos visto en el paréntesis.

¿No os encantan —como al cronista— los viejos pueblos?

Uso de los corchetes [ ]

Sustituyen al paréntesis en una oración que encierra, a su vez, otras palabras o frases entre paréntesis:

Azorín [que había nacido en Monóvar (Alicante)] solía escribir...

Uso de la barra diagonal (/)

Se usa:

— Para determinar símbolos técnicos: *Km/hora, litros/minuto.*
— Para expresar quebrados o fracciones: *3/5.*
— Para indicar que una palabra puede tener diversas terminaciones: *el alumno/a.*

uso de las letras minúsculas

Se escriben con minúscula:

1. Los nombres de los meses del año, las estaciones del año, los días de la semana: *enero, marzo, primavera, invierno, lunes, martes.*

2. Los nombres de las monedas: *una peseta, dos francos belgas.*

3. Los tratamientos, cuando se escriben con toda la letra: *su majestad, su excelencia, su santidad.*

4. Los nombres de ciencias, técnicas, etc., en tanto no entren a formar parte de una determinada denominación que exija mayúscula: *la astronomía, las matemáticas, estudio de derecho comparado.*

5. Los gentilicios, nombres de miembros de religiones, y los nombres de oraciones: *español, francés, alemán, inglés, católico, protestante, discípulo de Jehová, el padrenuestro, el ángelus.*

6. Los nombres de títulos, cargos y dignidades civiles, militares y religiosas: *el jefe del Estado, el coronel Estévanez, el ministro de la Gobernación, el obispo de Teruel.*

7. Los nombres de oficios y profesiones y los de los movimientos artísticos: *impresor, oficinista, expresionismo, futurismo.*

8. Los nombres geográficos comunes: *el golfo de Vizcaya, el cabo de Ajo, la península de los Balcanes.*

9. Los adjetivos usados en nombres geográficos: *la Alemania oriental, la América central, los Alpes occidentales.*

uso de las letras mayúsculas

Se escriben con mayúscula:

1. Cualquier palabra que comience un escrito y las que vayan después de punto.

2. Potestativamente, los versos. Lo normal, en la actualidad, es escribir con mayúsculas el primero y los que van después de punto.

3. Todo nombre propio o voz que haga las veces de tal, como los atributos divinos: *José, Sánchez, Azorín, Virgen María, El Redentor, Ebro, Europa, Micifuz.*

4. Los nombres y adjetivos que entren en la denominación de una institución, cuerpo o establecimiento: *el Ayuntamiento de Madrid, la Real Academia Española, el Museo del Prado, el Teatro Calderón, el Hotel Imperial.*

5. Los nombres y adjetivos que entren en la denominación de un periódico o revista: *El País, La Vanguardia, Cambio 16.*

6. En los documentos oficiales, leyes, decretos, etc., las palabras que expresan la autoridad, el cargo, la dignidad, etc.: *la Autoridad que me ha conferido, la Monarquía, el Gobernador.*

7. Las denominaciones de exposiciones, congresos y los nombres de disciplinas académicas, cuando formen parte de la denominación de una cátedra, *facultad, instituto, etc.: profesor de Historia de España, Facultad de Medicina, Salón Internacional del Mueble, Semana Nacional de la Gastronomía.*

8. Los nombres de documentos, conferencias, etc.: *la Conferencia de Ginebra, los Pactos de la Moncloa, Declaración de Contadora.*

9. Las denominaciones oficiales de los partidos políticos, agrupaciones, asociaciones, etc.: *Organización de Consumidores Españoles, Partido Socialista Obrero Español, Izquierda Unida, Asociación de Afectados por la Riada,* etc.

10. Los nombres de organismos oficiales, entidades, etc.: *la Cámara de Representantes, el Senado, Archivo Histórico de Indias.*

uso de la interrogación y de la exclamación

En español estos signos abren y cierran la oración. Su empleo es necesario al principio y al final.

1. Los signos de interrogación se usan en oraciones interrogativas: *¿Qué quieres?*, y los de exclamación en expresiones exclamativas: *¡Qué dolor!*

2. Tanto los signos de interrogación como los de entonación se han de colocar en donde empiece y acabe el período interrogativo o exclamativo, respectivamente: *Pero ¿no te encontrabas enfermo? Y entonces, ¡zas!, me sentí aliviado.*

3. Cuando las exclamaciones son varias y seguidas, se escriben con minúsculas y seguidas de coma: *¡Qué extraordinario!, ¡qué tontería!, ¡qué atrevimiento!*

4. Los signos de interrogación y exclamación admiten tras sí todos los signos ortográficos, excepto el punto final: *¡Vamos!, replicó.*

5. Cuando dos preguntas se suceden en el discurso, lo normal es que los signos de interrogación se coloquen en la última: *Qué quieres, ¿pan?*

6. A veces estos signos se colocan entre paréntesis (!)(?) para indicar ironía, incredulidad, duda, sorpresa, etc.; en estos casos se usan los signos de cierre: *El señor X nos indicó que la conferencia había sido en el club (?).*

algunos casos de separación de palabras

A donde/adonde:

Se escribe junto cuando hay un antecedente expreso. En caso contrario, se escribe separado:

*Te espero en el cine **adonde** sueles ir.*
*Debes acudir **a donde** te digan.*

Así mismo/asimismo:

Es más frecuente su uso con el significado de igualmente. Entonces se escribe junto:

*Vi a Elena y Marta. **Asimismo** estaban allí Ana e Irene.*

Se escribirá separado cuando cumpla la función de adverbio + adjetivo:

*Lo he escrito **así mismo**: como me habías indicado.*

Con que/conque:

En el primer caso se trata de la preposición *con* + el pronombre relativo *que*:

*Dame un lápiz **con que** escribir.*

En el segundo, es una conjunción cuyo significado equivale al de *de modo que*:

***Conque** eso era lo que estabas tramando, ¿eh?*

Sin número/sinnúmero:

En el primer caso se trata de la preposición *sin* + un sustantivo:

*Estuvo **sin número** durante todo el sorteo.*

En el segundo caso se trata de un sustantivo:

*Ha pasado un **sinnúmero** de penalidades.*

Si no/sino:

Se escribe separado cuando la conjunción condicional *si* antecede al adverbio *no:*

***Si no** me lo dices tú, no me lo creo.*

Se escribe junto en el caso de la conjunción adversativa o del sustantivo *sino (destino):*

*Nunca viaja en avión, **sino** en tren.*
*Es mi **sino**: cuanto más trabajo, menos me pagan.*

división de palabras a final de línea

Como norma general, las palabras, que no quepan en una línea, deberán dividirse para continuar en la siguiente, respetando tanto la sílaba como la formación etimológica:

pa-dre, nos-otros, ayun-ta-mien-to

Cuando la primera o la última sílaba de una palabra sea una vocal, no podrá quedar como último elemento de la línea, ni como primer elemento de la línea siguiente. Sería, por tanto, incorrecto:

* líne-a, a-mada, jubile-o, o-casión

Las letras que integran un diptongo o un triptongo nunca pueden separarse:

com-práis, vein-ti-séis, res-guar-dan

Cuando en una palabra dos consonantes formen parte de la misma sílaba, permanecen inseparables:

cons-cien-te, re-frac-ta-rio, nú-cle-o

Las consonantes situadas entre dos vocales forman sílaba con la segunda de ellas:

a-é-re-o, ca-sa, to-do

Las agrupaciones consonánticas **cl**, **cr**, **dr**, **tr**, **fl**, **fr**, **gl**, **gr**, **pl**, **pr**, **bl** y **br** forman siempre sílaba con la vocal siguiente.

*in-clu-so, cua-dro, re-frán, des-gra-var, co-pla, en-tre-ga
ha-blando, a-briendo*

Cuando al dividir una palabra con **h** intercalada, ésta quede en final de línea con su correspondiente vocal, se pasará dicho grupo a la línea siguiente:

clor-hídrico, des-hacer, ex-hibir

de la ortografía

b, v, w

Se escriben con **b**:

— Todos los verbos terminados en *-bir, -buir, -aber,* o *-eber,* excepto *atrever, hervir, precaver, servir* y *vivir.*

— Las terminaciones *-bil, -ble, -bilidad, -bundo* y *-bunda,* con excepción de *civil, móvil* y todos sus derivados.

— Los vocablos que comienzan por *bibl-, bea-, abu-, bur-* o *bus-,* a excepción de *avutarda.*

— Las terminaciones del pretérito imperfecto de indicativo de los verbos de la primera conjugación (*-ar*).

— Todas las formas del verbo *haber* que contengan ese sonido.

Se escribirá siempre **b** delante de otra consonante, aunque ésta pertenezca a la sílaba siguiente:

hablar, broma, obstinado, obvio, subvención

Se escriben con **v**:

— Todas las formas del verbo *tener* y de sus compuestos, en las que se contenga ese sonido.

— Los adjetivos terminados en *-ave, -ava, -avo, -eva, -eve, -evo, -iva, -ive* o *-ivo:*

> *suave, esclava, octavo, nueva, leve, suevo, definitiva, proclive, vivo*

— Todas las palabras que empiezan por villa- (excepto billar), o por nava- (excepto las relacionadas con *nabo* y con sus derivados).

— Los vocablos que inmediatamente antes de este sonido llevan el prefijo *ad-*.

La letra **w** puede, en ocasiones, intercambiarse con la **v**:

> *walón → valón; wellingtonia → velintonia*

c, k, q

El sonido /**k**/ puede representarse con **c** delante de **a**, **o**, **u**. Pero ante **e** o **i** es necesario escribir **k** o **qu**.

La letra **k** tiene, en español, un uso muy restringido. Se emplea casi exclusivamente en voces extranjeras y en abreviaturas:

> *káiser, kárate, kimono, kilómetro (km)*

Sin embargo, la tendencia española —salvo en las abreviaturas— es a escribir con **q** esas palabras.

Ante las vocales **e, i,** el sonido **k** se representa mediante *qu:*

> *banquero, adoquín.*

s, x

la concurrencia de sonidos /**ks**/ se representa mediante la letra **x** (con excepción de *facsímil*), tanto si se articula entre vocales, como al final de sílaba:

> *auxilio, boxeo, clímax, texto*

El sonido inicial /**eks**/ se representa siempre con **x**, tanto si la siguiente letra es vocal, como si es consonante:

> *exagerar, exégesis, excelso, extraño*

r, rr

La **rr** sólo se escribe en interior de palabra y entre vocales, y siempre representa el sonido tenso o fuerte. Cuando ese sonido figura en posición inicial o detrás de consonante, se representa con **r**:

arriba, borrego, churrasco, ahorro
rabo, recuerdo, rima, robo, rumor
alrededor, enriquecer, subrogación

m + b, p

Delante de **b** o **p** siempre se escribe **m**; nunca **n**:

cambio, compás, emblema, temprano

i, y

Se escribe con **y** la conjunción copulativa, a no ser que la palabra siguiente comience por *i-* o *hi-*, en cuyo caso se substituye por **e**:

*Han llamado Ana **e** Irene. Se oyeron cantos **e** himnos.*

Como excepción, se mantiene la **y** cuando la palabra siguiente empieza por *hie-*:

*Polvo, sudor **y** hierro: el Cid cabalga.*

Se escribe **y** cuando la primera sílaba de una palabra comienza con uno de los sonidos /ia/,/ie/,/io/ o /iu/:

yate, yegua, yodo, yunta

También, cuando al final de una palabra figura el sonido /i/ no acentuado:

Uruguay, ley, hoy, muy

h

Se escriben con **h**:

— Las formas verbales de: *habitar, hacer, hablar* y *hallar.*
— Las palabras que comienzan por los prefijos *hip-* o *hidr-*, y sus derivados.
— Las que empiezan por los prefijos *hecto-, hemi-, hetero-, hepta-* y *hexa-.*
— Los derivados y compuestos de las palabras que empiezan con **h**, excepto los de *hueco, huérfano, hueso* y *huevo*:

hartazgo, herético, horroroso, huidizo
pero: *oquedad, orfanato, osario, oval*

— Los diptongos **ie**, **ue**, cuando no van precedidos de una consonante que forme sílaba con ellos:

> *deshielo, hierba, huele, deshuesar*

g, j + e, i

Se escriben con **g**:

— Las palabras que llevan la sílaba *gen*, cualquiera que sea el lugar que ocupe:

> *gentío, regente, aborigen*

Excepciones: *ajeno, avejentar, berenjena, ojén,* y las terceras personas del plural del presente de subjuntivo de los verbos cuyo infinitivo termina en *-jar.*

— La mayor parte de las palabras terminadas en *-gésimo, -gia, -gio* y *-gión,* así como sus correspondientes plurales.

> *trigésimo, sinergia, artilugio, región*

Excepciones: *herejía, lejía, bujía, crujía*

— Las palabras acabadas en *-gélico, -genario, -gesimal, -giénico, -ginal, -ígena.*

Se escriben con **j**:

— Las palabras acabadas en *-aje, -eje, -jear, -jera, -jería, -jero.*
— Todos los derivados de palabras que se escriben con **j**:

> *cajista, encajar, herejía, rojizo, cojeando*

— Las formas verbales de todos los verbos terminados en *-jear, -jer* o *-jir.*
— Las formas de los verbos terminados en *-ger* o en *-gir,* cuando este sonido se encuentra delante de **a** o de **o**:

> *elijo, recojamos, surjan*

— Las formas del verbo *traer* y sus compuestos, en las que aparece este sonido.
— Las formas irregulares de los verbos cuyo infinitivo acaba en *-cir:*

> *predijo, conduje, contradijeran*

La **g** ofrece dificultad ortográfica ante **e** o **i**:

— Suena fuerte, como la **j**, en *ge* y en *gi*
— Para que suene suave, es necesario interponer **u**: *gue, gui.*

palabras con doble significado

1. Según se escriban con g/j

agito	(verbo)	*ajito*	(diminutivo de *ajo*)
gira	(verbo)	*jira*	(sustantivo: *excursión*)
Girón	(apellido)	*jirón*	(sustantivo: *trozo de tela*)
gragea	(sust: pastilla)	*grajea*	(verbo)
vegete	(verbo)	*vejete*	(diminutivo de *viejo*)

2. Según se escriban con y/ll

arrollo	(verbo)	*arroyo*	(sustantivo: *riachuelo*)
callado	(verbo)	*cayado*	(sust.: *bastón*)
halla	(verbo *hallar*)	*haya*	(verbo *haber;* sust.: *árbol*)
hulla	(sust.: *carbón*)	*huya*	(verbo *huir*)
olla	(sust.: *puchero*)	*hoya*	(sust.: *fosa*)
pollo	(sust.: *ave*)	*poyo*	(sust.: *banco*)
pulla	(sust.: *expresión*)	*puya*	(sust.: *punta aguda*)
rollo	(sust.: *cilindro*)	*royo*	(verbo *roer*)
valla	(sust.: *cerca*)	*vaya*	(verbo *ir*)

3. Según se escriban con h o sin ella

ablando	(verbo *ablandar*)	*hablando*	(verbo *hablar*)
abre	(verbo *abrir*)	*habré*	(verbo *haber*)
ala	(sustantivo)	*hala*	(interjección)
alambra	(verbo *alambrar*)	*Alhambra*	(*palacio de Granada*)
aprender	(verbo *conocer*)	*aprehender*	(verbo *capturar*)
aremos	(verbo *arar*)	*haremos*	(verbo *hacer*)
as	(sust.: *naipe*)	*has*	(verbo *haber*)
asta	(sust.: *cuerno*)	*hasta*	(preposición)
desecho	(sust.: *basura*)	*deshecho*	(verbo *deshacer*)
echa	(verbo *echar*)	*hecha*	(verbo *hacer*)
errar	(verbo: *equivocarse*)	*herrar*	(verbo: *poner hierros*)
izo	(verbo *izar*)	*hizo*	(verbo *hacer*)
ojear	(verbo: *mirar*)	*hojear*	(verbo: *pasar hojas*)
ola	(sust.: *onda*)	*hola*	(interjección)
uso	(sust.: *costumbre*)	*huso*	(sust.: *sector esférico*)

4. Según se escriban con s/x

contesto	(verbo *contestar*)	*contexto*	(sust.: *orden*)
esotérico	(adj.: *oculto*)	*exotérico*	(sust.: *vulgar*)
espiar	(verbo: *observar*)	*expiar*	(verbo: *sufrir*)

esplique	(sust.: *trampa*)	*explique*	(verbo *explicar*)
espira	(sust.: *línea*)	*expira*	(verbo *expirar*)
espolio	(sust.: *herencia*)	*expolio*	(sust.: *despojo*)
estático	(adj.: *inmóvil*)	*extático*	(adj.: *en éxtasis*)
estirpe	(sust.: *linaje*)	*extirpe*	(verbo: *extirpar*)
seso	(sust.: *cerebro*)	*sexo*	(sust.: *género*)
testo	(verbo *testar*)	*texto*	(sust.: *escrito*)

5. Según se escriban con b/v

baca	(sust.: *portaequipajes*)	*vaca*	(sust.: *res*)
bacilo	(sust.: *microbio*)	*vacilo*	(verbo *vacilar*)
balido	(sust.: *voz de la oveja*)	*valido*	(sust.: *cortesano*)
balón	(sust.: *pelota*)	*valón*	(adj.: *belga*)
barón	(sust.: *título nobiliario*)	*varón*	(sust.: *hombre*)
basto	(adj.: *rudo*)	*vasto*	(adj.: *amplio*)
bello	(adj.: *hermoso*)	*vello*	(sust.: *pelo*)
bienes	(sust.: *propiedades*)	*vienes*	(verbo *venir*)
bota	(sust.: *calzado*; verbo *botar*)	*vota*	(verbo *votar*)
cabila	(sust.: *tribu*)	*cavila*	(verbo *cavilar*)
rebela	(verbo: *sublevar*)	*revela*	(verbo *revelar*)
sabia	(adj.: *culta*)	*savia*	(sust.: *jugo vegetal*)

Lo presentado en este capítulo se encuentra en **ESPAÑOL 2000,**

Nivel **medio**   : págs. 87, 98, 110, 123, 135 y 230.
Nivel **superior** : págs. 74, 87, 102, 103, 104, 121, 123, 153 y 158.

V de abreviaturas, siglas y topónimos

las abreviaturas

Se escribe con mayúscula la letra inicial de las abreviaturas de tratamiento, tales como Dr. *(doctor)*, Ilmo. *(ilustrísimo)* o Excmo. *(excelentísimo)*.

En cuanto a la formación del plural, se admiten dos posibilidades:

— Las abreviaturas que llevan un punto detrás de cada letra forman el plural duplicando las iniciales:

> *S.A.R. : SS.AA.RR. (Sus Altezas Reales)*
> *C.O. : CC.OO. (Comisiones Obreras)*

— Aquellas en que las letras figuran seguidas forman el plural añadiendo **s** o **es**, según la regla general, a la forma del singular:

> *Srta. : Srtas. (señoritas)*
> *Pág. : Págs. (páginas)*

Al leer, la palabra abreviada debe pronunciarse en toda su plenitud, como si se tratara de un fragmento de lengua oral, ya que sólo se trata de un recurso de la lengua escrita.

> *Sr. Pte.* ha de ser leído: *Señor Presidente.*

las siglas

En la lectura de las siglas deberá procederse según lo indicado para las abreviaturas: *EE.UU.* deberá leerse *Estados Unidos,* y no *ee,uu.*

En general, las siglas no admiten plural por flexión:

> **El AVE → Los AVEs (trenes de alta velocidad)*

siglas y abreviaturas

ADENA	Asociación para la Defensa de la Naturaleza.
AEDENAT	Asociación Ecologista de Defensa de la Naturaleza.
AI	Amnistía Internacional.
AIEA	Agencia Internacional de Energía Atómica.
a. J.C.	Antes de Jesucristo.
a. m.	«Ante meridiem». Antes del mediodía.
A.M.D.G.	«Ad majorem Dei Gloriam». A la mayor gloria de Dios.
ANAFE	Asociación Nacional de Árbitros de Fútbol Españoles.
ANFAC	Asociación Nacional de Fabricantes de Automóviles y Camiones.
APA	Asociación de Padres de Alumnos.
APIE	Asociación de Periodistas de Información Económica.
ASPLA	Asociación Sindical de Pilotos de Líneas Aéreas.
ATS	Ayudante Técnico Sanitario.
AVE	Alta Velocidad Española (Tren de).
BBC	Compañía Británica de Radiodifusión (British Broadcasting Corporation).
BOE	Boletín Oficial del Estado.
CD	Cuerpo Diplomático.
CE	Comunidad Europea.
CEI	Comunidad de Estados Independientes.
CEOE	Confederación Española de Organizaciones Empresariales.
CEPSA	Compañía Española de Petróleos, S.A.
CGPJ	Consejo General del Poder Judicial.
CIA	Agencia Central de Inteligencia.
CIF	Código de Identificación Fiscal.
CNMV	Comisión Nacional del Mercado de Valores.
CNT	Confederación Nacional del Trabajo.
COI	Comité Olímpico Internacional.
COU	Curso de Orientación Universitaria.
CSIC	Consejo Superior de Investigaciones Científicas.
CSN	Consejo de Seguridad Nacional.
CTNE	Compañía Telefónica Nacional de España.
DIU	Dispositivo Intrauterino.
DNI	Documento Nacional de Identidad.
DRAE	Diccionario de la Real Academia Española.
ECU	Unidad de Cuenta Europea.
EGB	Educación General Básica.
ENAGAS	Empresa Nacional del Gas.
ESO	Enseñanza Secundaria Obligatoria.
FEF	Federación Española de Fútbol.
FIBA	Federación Internacional de Baloncesto Amateur.
FIFA	Federación Internacional de Fútbol Amateur.
FM	Frecuencia modulada.
FMI	Fondo Monetario Internacional.
INEF	Instituto Nacional de Educación Física.
INI	Instituto Nacional de Industria.
IPC	Índice de Precios al Consumo.
IPI	Instituto Internacional de Prensa.
IRPF	Impuesto sobre la Renta de las Personas Físicas.
ISBN	Número Internacional Normalizado para los Libros.
ITE	Impuesto de Tráfico de Empresas.
IVA	Impuesto sobre el Valor Añadido.
OCU	Organización de Consumidores y Usuarios.
OEA	Organización de Estados Americanos.
OIT	Organización Internacional del Trabajo.
OLP	Organización para la Liberación de Palestina.
OMS	Organización Mundial de la Salud.
ONCE	Organización Nacional de Ciegos Españoles.
ONU	Organización de las Naciones Unidas.
OTAN	Organización del Tratado del Atlántico Norte.
PNB	Producto Nacional Bruto.

RACE	Real Automóvil Club de España.	UEFA	Unión de Asociaciones Europeas de Fútbol.
RAE	Real Academia Española.	UHF	Frecuencias ultraelevadas.
RENFE	Red Nacional de Ferrocarriles Españoles.	UNED	Universidad Nacional de Educación a Distancia.
RTVE	Radiotelevisión Española.	UNICEF	Fondo de las Naciones Unidas para la Infancia.
SA	Sociedad Anónima.		
SMI	Sistema Monetario Internacional.	VHF	Frecuencias muy elevadas.
UCI	Unidad de Cuidados Intensivos.	VIP	Persona muy importante.
UE	Unión Europea.		

abreviaturas más usadas

a/c	*a cuenta*	Gral.	*General*
a/f	*a favor*	Ilmo.	*Ilustrísimo*
Admón.	*Administración*	imp.	*impuesto*
Afmo.	*Afectísimo*	impte.	*importe*
agr.	*agricultura*	Ind.	*Industria*
Art.	*Artículo*	izq.	*izquierda*
atta.	*atenta*	Lic.	*Licenciado*
atte.	*atentamente*	líq.	*líquido*
autom.	*automovilismo*	Ltda.	*Limitada*
bibl.	*bibliografía*	m/cc.	*mi cuenta corriente*
Biol.	*Biología*	ntro.	*nuestro*
Bioq.	*Bioquímica*	p.b.	*peso bruto*
c/a.	*cuenta abierta*	p.i.b.	*producto interior bruto*
c/c	*cuenta corriente*	p.n.	*peso neto*
Cía.	*Compañía*	p.ej.:	*por ejemplo:*
corp.	*corporación*	P.V.P.	*Precio de venta al público*
cta./cte.	*cuenta corriente*	pág.	*página*
D.	*Don*	pl.	*plural*
D.ª	*Doña*	Pol.	*Política*
Dep.	*Deportes*	Pral.	*Principal*
Depto.	*Departamento*	Prof.	*Profesor*
dcto.	*descuento*	pról.	*prólogo*
dcha.	*derecha*	pta.	*peseta*
docum.	*documentación*	Pte.	*Presidente*
Dr.	*Doctor*	pzo.	*plazo*
Dra.	*Doctora*	Quím.	*Química*
Ecol.	*Ecología*	S.A.	*Sociedad Anónima*
Econ.	*Economía*	S.C.	*Sociedad Comanditaria*
Educ.	*Educación*	S.L.	*Sociedad Limitada*
Excª.	*Excelencia*	S.P.	*Servicio Público*
Excmo.	*Excelentísimo*	s/cc.	*su cuenta corriente*
Fac.	*Facultad*	Sr.	*Señor*
fol.	*folio*	Sra.	*Señora*
fra.	*Factura*	Srta.	*Señorita*
Geogr.	*Geografía*	Sind.	*Sindicato*

Seg.	*Seguro*	VºBº	*Visto bueno*
Téc.	*Técnico*	vol.	*volumen*
tpte.	*transporte*	vta.	*venta*
Ud./Uds.	*Usted/Ustedes*		

unidades monetarias y sus símbolos

Alemania	*marco alemán* (DM)	Italia	*lira* (L)
Andorra	*peseta/franco francés* (Pta./F)	Japón	*yen* (¥)
		Kuwait	*dinar* (KD)
Arabia Saudita	*riyal saudita* (SR)	Luxemburgo	*franco* (FL)
Argelia	*dinar argelino* (AD)	Marruecos	*dirham* (DH)
Argentina	*peso* ($)	México	*nuevo peso* (N$)
Armenia	*dramª* (dr)	Mónaco	*franco francés* (F)
Austria	*chelín* (sh)	Nicaragua	*córdoba oro* ($Cª)
Bélgica	*franco belga* (FB)	Nigeria	*naira* (N)
Bielorrusia	*rublo* (Rb)	Noruega	*corona* (kr)
Brasil	*real* (R$)	Países Bajos	*florín* (gu)
Bulgaria	*leva* (L)	Pakistán	*rupia* (Rp)
Cabo Verde	*escudo* (esc)	Panamá	*balboa* (B)
Canadá	*dólar canadiense* (C$)	Paraguay	*guaraní* (G)
Colombia	*peso* ($C)	Perú	*nuevo sol* (s/.)
Costa Rica	*colón* (C)	Polonia	*zloty* (zl)
Cuba	*peso* ($C)	Portugal	*escudo* (Esc)
Chile	*peso* ($Ch)	Puerto Rico	*dólar de EU* (US$)
China	*yuan* (Y)	Reino Unido	*libra esterlina* (£)
Dinamarca	*corona* (kr)	Rep. Dominicana	*peso* (RD$)
Ecuador	*sucre* (s/.)	Rumanía	*leu* (L)
Egipto	*libra* (£E)	Rusia	*rublo* (R)
El Salvador	*colón* (¢)	Siria	*libra* (£S)
España	*peseta* (pta.)	Sudáfrica	*rand* (R)
Estados Unidos	*dólar* (US$)	Suecia	*corona sueca* (SKr)
Finlandia	*marco* (FM)	Suiza	*franco suizo* (FS)
Francia	*franco* (F)	Tailandia	*baht* (B)
Grecia	*dracma* (Dr)	Túnez	*dinar* (TD)
Guatemala	*quetzal* (Q)	Turquía	*lira* (TL)
Honduras	*lempira* (L)	Uruguay	*nuevo peso* (NU$)
Hungría	*florint* (Ft)	Vaticano	*lira italiana* (L)
India	*rupia* (rp)	Venezuela	*bolívar* (Bs.)
Irlanda	*libra* (IR£)	Viet Nam	*dong nuevo* (D)
Israel	*nuevo siclo* (NIS)	Yugoslavia	*nuevo dinar* (Din.)

sobre topónimos

A efectos de escritura, es conveniente distinguir entre:

— Nombres de uso tradicional y arraigado en castellano, que corresponden —en general— a países y localidades de antigua y larga relación con España. Dichos nombres deben escribirse en castellano:

Amberes, Aquisgrán, Bruselas, Burdeos, Florencia, Gotemburgo, Londres, Milán, Múnich, Turín...

(*México, Texas* y *Oaxaca* se pronuncian: *Méjico, Tejas* y *Oajaca*)

— Nombres que no tienen grafía castellana y se transcriben hispanizando las grafías:

Djibuti → *Yibuti*
Quatar → *Katar*
Zimbabwe → *Zimbabue*

— Nombres que, aunque tuvieron denominación en castellano, han cambiado de forma por razones políticas:

Bioko (Fernando Poo)
Malabo (Santa Isabel)
Sri Lanka (Ceilán)
Taiwan (Formosa)

grafía castellana de algunos nombres geográficos

Addis-Ababa	*Adis Abeba* (Etiopía)	Cambodia	*Camboya* (Asia)
Alexandría	*Alejandría* (Egipto)	Cherbourg	*Cherburgo* (Francia)
Algérie	*Argelia* (África)	Cologne	*Colonia* (Alemania)
Alsace	*Alsacia* (Francia)	Copenhaguen	*Copenhague* (Dinamarca)
Angoulême	*Angulema* (Francia)	Corse	*Córcega* (Francia)
Ardennes	*Ardenas* (Francia)	Crete	*Creta* (Italia)
Avignon	*Aviñón* (Francia)	Cyprus	*Chipre* (Asia)
Baghdad	*Bagdad* (Irak)		
Bayonne	*Bayona* (Francia)	Denmark	*Dinamarca* (Europa)
Belgique	*Bélgica* (Europa)	Djibouti	*Yibuti* (África)
Berne	*Berna* (Suiza)	Dresden	*Dresde* (Alemania)
Beyrouth	*Beirut* (Líbano)		
Bologna	*Bolonia* (Italia)		
Bordeaux	*Burdeos* (Francia)	Edinbourgh	*Edimburgo* (Escocia)
Boulogne	*Boloña* (Francia)	Egypt	*Egipto* (África)
Bourgogne	*Borgoña* (Francia)	England	*Inglaterra* (Europa)
Brandenbourg	*Brandenburgo* (Alemania)	Escaut	*Escalda* (Países Bajos)
Bruges	*Brujas* (Bélgica)		
Bruxelles	*Bruselas* (Bélgica)	Finland	*Finlandia* (Europa)
Bucharest	*Bucarest* (Rumania)	Firenze	*Florencia* (Italia)
		France	*Francia* (Europa)
Calais	*Calé* (Francia)	Freiburg	*Friburgo* (Alemania)

43

Garonne	*Garona* (Francia)	Nice	*Niza* (Francia)
Gascogne	*Gascuña* (Francia)	Norway	*Noruega* (Europa)
Genève	*Ginebra* (Suiza)	Nürnberg	*Nuremberg* (Alemania)
Göteborg	*Goteburgo* (Suiza)		
Great Britain	*Gran Bretaña* (Europa)	Ostend	*Ostende* (Bélgica)
Greenland	*Groenlandia* (América)		
		Paris	*París* (Francia)
Hamburg	*Hamburgo* (Alemania)	Peking	*Pekín* o *Pequín* (China)
Hungary	*Hungría* (Europa)	Pennsylvania	*Pensilvania* (EE.UU.)
		Perpignan	*Perpiñán* (Francia)
Iceland	*Islandia* (Europa)	Philadelphia	*Filadelfia* (EE.UU.)
Ireland	*Irlanda* (Europa)	Phoenix	*Fénix* (EE.UU.)
Istanbul	*Estambul* (Asia)		
		Reyjkavik	*Reijiavik* (Islandia)
Jakarta	*Yacarta* (Asia)	Rhine	*Rin* (Alemania)
		Romania	*Rumanía* (Europa)
Kenya	*Kenia* (África)	Rotterdam	*Róterdam* (Holanda)
Khartoum	*Jartún* (África)	Rouen	*Ruán* (Francia)
Koblenz	*Coblenza* (Alemania)	Rwanda	*Ruanda* (África)
Korea	*Corea* (Asia)		
		Sardenia	*Cerdeña* (Italia)
La Haye	*La Haya* (Holanda)	St. Louis	*San Luis* (EE.UU.)
Lausanne	*Lausana* (Suiza)	St. Petersbourg	*San Petersburgo* (Rusia)
Le Havre	*El Havre* (Francia)	Salzburg	*Salzburgo* (Austria)
Lebanon	*Líbano* (Asia)	Savoie	*Saboya* (Francia)
Libya	*Libia* (África)	Scandinavia	*Escandinavia* (Europa)
Liège	*Lieja* (Bélgica)	Scotland	*Escocia* (Reino Unido)
Loire	*Loira* (Francia)	Seine	*Sena* (Francia)
London	*Londres* (Inglaterra)	Seoul	*Seúl* (Asia)
Lorraine	*Lorena* (Francia)	Singapoore	*Singapur* (Asia)
Louvain	*Lovaina* (Bélgica)	Slovakia	*Eslovaquia* (Europa)
		Slovenia	*Eslovenia* (Europa)
Maastricht	*Mastrique* (Holanda)	South Africa	*Sudáfrica* (África)
Mainz	*Maguncia* (Alemania)	Stockholm	*Estocolmo* (Suecia)
Maroc	*Marruecos* (África)	Strasbourg	*Estrasburgo* (Francia)
Marseille	*Marsella* (Francia)	Sweden	*Suecia* (Europa)
Memphis	*Menfis* (EE.UU.)	Switzerland	*Suiza* (Europa)
Milano	*Milán* (Italia)	Sydney	*Sidney* (Australia)
Moscova	*Moscú* (Rusia)	Syracuse	*Siracusa* (EE.UU.)
München	*Múnich* (Alemania)	Syria	*Siria* (Asia)
Napoli	*Nápoles* (Italia)	Thailand	*Tailandia* (Asia)
Netherlands	*Holanda* (Europa)	Thames	*Támesis* (Inglaterra)
New Caledonia	*Nueva Caledonia* (Pacífico)	Tiranë	*Tirana* (Albania)
New Delhi	*Nueva Deli* (India)	Tokyo	*Tokio* (Japón)
New Orleans	*Nueva Orleans* (EE.UU.)	Torino	*Turín* (Italia)
New York	*Nueva York* (EE.UU.)	Toulon	*Tolón* (Francia)

Toulouse	*Tolosa* (Francia)	Venezia	*Venecia* (Italia)
Tunis	*Túnez* (África)	Versailles	*Versalles* (Francia)
		Vienne	*Viena* (Austria)
United Kingdom	*Reino Unido* (Europa)		
United States	*Estados Unidos* (América)	Wales	*Gales* (Gran Bretaña)
Vancouver	*Vancúver* (Canadá)	Zimbawbe	*Zimbabue* (África)

gentilicios extranjeros

Afganistán	*afgano/a*	Camboya	*camboyano/a*
África	*africano/a*	Camerún	*camerunense/camerunés*
Albania	*albanés/sa*	Canadá	*canadiense*
Alemania	*alemán/a*	Caracas	*caraqueño/a*
Amberes	*antuerpiense*	Cerdeña	*sardo/a*
América	*americano/a*	Colombia	*colombiano/a*
Andorra	*andorrano/a*	Congo	*congoleño/a*
Angola	*angoleño/a*	Córcega	*corso/a*
Arabia Saudí	*saudí*	Corea	*coreano/a*
Argelia	*argelino/a*	Costa de Marfil	*marfileño/a*
Argentina	*argentino/a*	Croacia	*croata*
Armenia	*armenio/a*	Cuba	*cubano/a*
Asia	*asiático/a*	Curaçao	*curazoleño/a*
Atenas	*ateniense*	Chile	*chileno/a*
Australia	*australiano/a*	Chino	*chino/a*
Austria	*austriaco/a*	Chipre	*chipriota*
Azerbaiyán	*azerbaiyano/a*		
		Damasco	*damasceno/a*
Bangladesh	*bengalí*	Dinamarca	*danés/esa*
Baviera	*bávaro/a*	Dublín	*dublinés/esa*
Bélgica	*belga*		
Belice	*beliceño/a*	Ecuador	*ecuatoriano/a*
Bérgamo	*bergamasco/a*	Egipto	*egipcio/a*
Bielorrusia	*bielorruso/a*	El Cairo	*cairota*
Bolivia	*boliviano/a*	El Salvador	*salvadoreño/a*
Borgoña	*borgoñón/ona*	Escocia	*escocés/esa*
Bosnia	*bosnio/a*	Eslovaquia	*eslovaco/a*
Botswana	*botswano/a*	Eslovenia	*esloveno/a*
Brasil	*brasileño/a o*	Estados Unidos	*estadounidense*
	brasileiro/a	Estonia	*estoniano/a*
Bretaña	*bretón/ona*	Etiopía	*etíope*
Bruselas	*bruselense*	Europa	*europeo/a*
Buenos Aires	*bonaerense*		
Bulgaria	*búlgaro/a*	Filipinas	*filipino/a*
Burdeos	*bordelés/esa*	Finlandia	*finlandés/esa o finés/esa*
Burundi	*burundés/esa*	Francia	*francés/esa*

45

Gabón	*gabonés/esa*	Marruecos	*marroquí o alahuita*
Gales	*galés/esa*	Marsella	*marsellés/esa*
Gambia	*gambiano/a*	Mauritania	*mauritano/a*
Georgia	*georgiano/a*	México	*mexicano/a*
Gibraltar	*gibraltareño/a*	Milán	*milanés/esa*
Ginebra	*ginebrino/a*	Mónaco	*monegasco/a*
Grecia	*griego/a*	Mongolia	*mongol*
Guatemala	*guatemalteco/a*	Montevideo	*montevideano/a*
Guinea	*guineano/a*	Moscú	*moscovita*
		Mozambique	*mozambiqueño/a*
Haití	*haitiano/a*		
Holanda	*holandés/esa*	Nápoles	*napolitano/a*
Honduras	*hondureño/a*	Nepal	*nepalí*
Hungría	*húngaro/a o magiar*	Nicaragua	*nicaragüense*
		Níger	*nigeriano/a*
India	*indio/a o hindú*	Nigeria	*nigeriense*
Indonesia	*indonesio/a*	Niza	*nizardo/a*
Inglaterra	*inglés/esa*	Noruega	*noruego/a*
Irak	*iraquí*	Nueva York	*neoyorquino/a*
Irán	*iraní*	Nueva Zelanda	*neocelandés/esa*
Irlanda	*irlandés/esa*		
Islandia	*islandés/esa*	Oceanía	*oceánico/a*
Israel	*israelí o israelita*		
Italia	*italiano/a*	Pakistán	*paquistaní*
		Panamá	*panameño/a*
Jamaica	*jamaicano/a*	Paraguay	*paraguayo/a*
Japón	*Japonés/esa o nipón/ona*	París	*parisino/a*
Jordania	*jordano/a*	Perú	*peruano/a*
		Pekín	*pequinés/esa*
Kazajstán	*kazaco/a*	Polonia	*polaco/a*
Kurdistán	*kurdo/a*	Portugal	*portugués/esa*
Kuwait	*kuwaití*	Puerto Rico	*portorriqueño/a*
La Habana	*habano/a*	Quito	*quiteño/a*
Letonia	*letón/ona*		
Líbano	*libanés/esa*	Roma	*romano/a*
Liberia	*liberiano/a*	Ruanda	*ruandés/esa*
Libia	*libio/a*	Rumanía	*rumano/a*
Lima	*limeño/a*	Rusia	*ruso/a*
Lisboa	*lisboeta*		
Lituania	*lituano/a*	Santa Sede	*vaticano/a*
Londres	*londinense*	Santiago	*santiagueño/a*
Luxemburgo	*luxemburgués/esa*	Santo Domingo	*dominicano/a*
		Senegal	*senegalés/esa*
Macedonia	*macedonio/a*	Serbia	*serbio/a*
Madagascar	*malgache*	Singapur	*singapurense*
Malasia	*malayo/a*	Siria	*sirio/a*
Malta	*maltés/esa*	Somalia	*somalí*

Sudáfrica	*sudafricano/a*	Uruguay	*uruguayo/a*
Sudán	*sudanés/esa*	Uzbekistán	*uzbeko/a*
Suecia	*sueco/a*		
Suiza	*suizo/a*	Venecia	*veneciano/a*
Suriname	*surinamés/esa*	Venezuela	*venezolano/a*
		Viena	*vienés/esa*
Tailandia	*tailandés/esa*	Viet Nam	*vietnamita*
Taiwán	*taiwanés/esa*		
Tanzania	*tanzano/a*	Yemen	*yemení*
Togo	*togolés/esa*	Yucatán	*yucateco/a*
Túnez	*tunecino/a*	Yugoslavia	*yugoslavo/a*
Turquía	*turco/a*		
		Zaire	*zaireño/a*
Ucrania	*ucraniano/a*	Zambia	*zambiano/a*
Uganda	*ugandés/esa*		

Lo tratado en este capítulo se encuentra en **ESPAÑOL 2000,**

Nivel **medio**   : pág. 209.
Nivel **superior** : págs. 21, 36, 54, 70,
                         157 y 180.

VI de la conjugación

conjugación de los verbos auxiliares

Verbo SER

FORMAS NO PERSONALES

Simples	**Compuestas**
INFINITIVO: Ser	Haber sido
GERUNDIO: Siendo	Habiendo sido
PARTICIPIO: Sido	

INDICATIVO

Presente	**Pretérito perfecto**		
Soy	He	sido
Eres	Has	sido
Es	Ha	sido
Somos	Hemos	sido
Sois	Habéis	sido
Son	Han	sido

Pretérito imperfecto	**Pretérito pluscuamperfecto**	
Era	Había	sido
Eras	Habías	sido
Era	Había	sido
Éramos	Habíamos	sido
Erais	Habíais	sido
Eran	Habían	sido

Pretérito indefinido	**Pretérito anterior**	
Fui	Hube	sido
Fuiste	Hubiste	sido
Fue	Hubo	sido

SUBJUNTIVO

Presente	**Pretérito perfecto**	
Sea	Haya	sido
Seas	Hayas	sido
Sea	Haya	sido
Seamos	Hayamos	sido
Seáis	Hayáis	sido
Sean	Hayan	sido

Pretérito imperfecto		
Fuera	o	Fuese
Fueras	o	Fueses
Fuera	o	Fuese
Fuéramos	o	Fuésemos
Fuerais	o	Fueseis
Fueran	o	Fuesen

Pretérito pluscuamperfecto			
Hubiera	o	Hubiese	sido
Hubieras	o	Hubieses	sido
Hubiera	o	Hubiese	sido

Fuimos	Hubimos sido	Hubiéramos o Hubiésemos sido
Fuisteis	Hubisteis sido	Hubierais o Hubieseis sido
Fueron	Hubieron sido	Hubieran o Hubiesen sido

Futuro imperfecto	**Futuro perfecto**
Seré	Habré sido
Serás	Habrás sido
Será	Habrá sido
Seremos	Habremos sido
Seréis	Habréis sido
Serán	Habrán sido

IMPERATIVO

Sé
    (Sea)
    (Seamos)

Condicional simple	**Condicional compuesto**
Sería	Habría sido
Serías	Habrías sido
Sería	Habría sido
Seríamos	Habríamos sido
Seríais	Habríais sido
Serían	Habrían sido

Sed
    (Sean)

Verbo ESTAR

FORMAS NO PERSONALES

Simples	**Compuestas**
INFINITIVO: Estar	Haber estado
GERUNDIO: Estando	Habiendo estado
PARTICIPIO: Estado	

INDICATIVO

Presente	**Pretérito perfecto**
Estoy	He estado
Estás	Has estado
Está	Ha estado
Estamos	Hemos estado
Estáis	Habéis estado
Están	Han estado

Pretérito imperfecto	**Pretérito pluscuamperfecto**
Estaba	Había estado
Estabas	Habías estado
Estaba	Había estado

SUBJUNTIVO

Presente	**Pretérito perfecto**
Esté	Haya estado
Estés	Hayas estado
Esté	Haya estado
Estemos	Hayamos estado
Estéis	Hayáis estado
Estén	Hayan estado

Pretérito imperfecto	
Estuviera	o Estuviese
Estuvieras	o Estuvieses
Estuviera	o Estuviese

		Estuviéramos	o	Estuviésemos
Estábamos	Habíamos estado	Estuviérais	o	Estuviéseis
Estabais	Habíais estado	Estuvierais	o	Estuvieseis
Estaban	Habían estado	Estuvieran	o	Estuviesen

Pretérito indefinido	**Pretérito anterior**	**Pretérito pluscuamperfecto**
Estuve	Hube estado	Hubiera o Hubiese estado
Estuviste	Hubiste estado	Hubieras o Hubieses estado
Estuvo	Hubo estado	Hubiera o Hubiese estado
Estuvimos	Hubimos estado	Hubiéramos o Hubiésemos estado
Estuvisteis	Hubisteis estado	Hubierais o Hubieseis estado
Estuvieron	Hubieron estado	Hubieran o Hubiesen estado

Futuro imperfecto	**Futuro perfecto**
Estaré	Habré estado
Estarás	Habrás estado
Estará	Habrá estado
Estaremos	Habremos estado
Estaréis	Habréis estado
Estarán	Habrán estado

IMPERATIVO

Está
    (Esté)
    (Estemos)

Estad
    (Estén)

Condicional simple	**Condicional compuesto**
Estaría	Habría estado
Estarías	Habrías estado
Estaría	Habría estado
Estaríamos	Habríamos estado
Estaríais	Habríais estado
Estarían	Habrían estado

Verbo HABER

FORMAS NO PERSONALES

Simples	**Compuestas**
INFINITIVO: Haber	Haber habido
GERUNDIO: Habiendo	Habiendo habido
PARTICIPIO: Habido	

INDICATIVO   SUBJUNTIVO

Presente	**Pretérito perfecto**	**Presente**	**Pretérito perfecto**
He	He habido	Haya	Haya habido
Has	Has habido	Hayas	Hayas habido
Ha/Hay	Ha habido	Haya	Haya habido

Hemos	Hemos	habido	Hayamos	Hayamos	habido
Habéis	Habéis	habido	Hayáis	Hayáis	habido
Han	Han	habido	Hayan	Hayan	habido

Pretérito imperfecto / **Pretérito pluscuamperfecto** / **Pretérito imperfecto**

Había	Había	habido	Hubiera	o	Hubiese
Habías	Habías	habido	Hubieras	o	Hubieses
Había	Había	habido	Hubiera	o	Hubiese
Habíamos	Habíamos	habido	Hubiéramos	o	Hubiésemos
Habíais	Habíais	habido	Hubierais	o	Hubieseis
Habían	Habían	habido	Hubieran	o	Hubiesen

Pretérito indefinido / **Pretérito anterior** / **Pretérito pluscuamperfecto**

Hube	Hube	habido	Hubiera	o	Hubiese	habido
Hubiste	Hubiste	habido	Hubieras	o	Hubieses	habido
Hubo	Hubo	habido	Hubiera	o	Hubiese	habido
Hubimos	Hubimos	habido	Hubiéramos	o	Hubiésemos	habido
Hubisteis	Hubisteis	habido	Hubierais	o	Hubieseis	habido
Hubieron	Hubieron	habido	Hubieran	o	Hubiesen	habido

Futuro imperfecto / **Futuro perfecto**

Habré	Habré	habido
Habrás	Habrás	habido
Habrá	Habrá	habido
Habremos	Habremos	habido
Habréis	Habréis	habido
Habrán	Habrán	habido

IMPERATIVO

He

   (Haya)

   (Hayamos)

Condicional simple / **Condicional compuesto**

Habría	Habría	habido
Habrías	Habrías	habido
Habría	Habría	habido
Habríamos	Habríamos	habido
Habríais	Habríais	habido
Habrían	Habrían	habido

Habed

   (Hayan)

conjugación de los verbos regulares en -ar, -er, -ir

Verbo AMAR

FORMAS NO PERSONALES

Simples

INFINITIVO: **Am**ar
GERUNDIO: **Am**ando
PARTICIPIO: **Am**ado

Compuestas

Haber   amado
Habiendo amado

INDICATIVO

Presente

Amo
Amas
Ama
Amamos
Amáis
Aman

Pretérito perfecto

He   amado
Has   amado
Ha   amado
Hemos   amado
Habéis   amado
Han   amado

Pretérito imperfecto

Amaba
Amabas
Amaba
Amábamos
Amabais
Amaban

Pretérito pluscuamperfecto

Había   amado
Habías   amado
Había   amado
Habíamos amado
Habíais   amado
Habían   amado

Pretérito indefinido

Amé
Amaste
Amó
Amamos
Amasteis
Amaron

Pretérito anterior

Hube   amado
Hubiste   amado
Hubo   amado
Hubimos   amado
Hubisteis amado
Hubieron amado

Futuro imperfecto

Amaré
Amarás
Amará
Amaremos
Amaréis
Amarán

Futuro perfecto

Habré   amado
Habrás   amado
Habrá   amado
Habremos amado
Habréis amado
Habrán   amado

SUBJUNTIVO

Presente

Ame
Ames
Ame
Amemos
Améis
Amen

Pretérito perfecto

Haya   amado
Hayas   amado
Haya   amado
Hayamos amado
Hayáis   amado
Hayan   amado

Pretérito imperfecto

Amara   o **Am**ase
Amaras   o **Am**ases
Amara   o **Am**ase
Amáramos o **Am**ásemos
Amarais o **Am**aseis
Amaran   o **Am**asen

Pretérito pluscuamperfecto

Hubiera   o Hubiese   amado
Hubieras   o Hubieses   amado
Hubiera   o Hubiese   amado
Hubiéramos o Hubiésemos amado
Hubierais o Hubieseis amado
Hubieran   o Hubiesen   amado

Futuro imperfecto

Amare
Amares
Amare
Amáremos
Amareis
Amaren

Futuro perfecto

Hubiere   amado
Hubieres amado
Hubiere   amado
Hubiéremos amado
Hubiereis amado
Hubieren amado

Condicional simple	Condicional compuesto		IMPERATIVO
Amaría	Habría	amado	**Am**a
Amarías	Habrías	amado	(**Am**e)
Amaría	Habría	amado	(**Am**emos)
Amaríamos	Habríamos	amado	
Amarías	Habríais	amado	**Am**ad
Amarían	Habrían	amado	(**Am**en)

Verbo TEMER

FORMAS NO PERSONALES

Simples	Compuestas
INFINITIVO: **Tem**er	Haber temido
GERUNDIO: **Tem**iendo	Habiendo temido
PARTICIPIO: **Tem**ido	

INDICATIVO			SUBJUNTIVO		
Presente	**Pretérito perfecto**		**Presente**	**Pretérito perfecto**	
Temo	He	temido	**Tem**a	Haya	temido
Temes	Has	temido	**Tem**as	Hayas	temido
Teme	Ha	temido	**Tem**a	Haya	temido
Tememos	Hemos	temido	**Tem**amos	Hayamos	temido
Teméis	Habéis	temido	**Tem**áis	Hayáis	temido
Temen	Han	temido	**Tem**an	Hayan	temido

Pretérito imperfecto	**Pretérito pluscuamperfecto**		**Pretérito imperfecto**		
Temía	Había	temido	**Tem**iera	o	**Tem**iese
Temías	Habías	temido	**Tem**ieras	o	**Tem**ieses
Temía	Había	temido	**Tem**iera	o	**Tem**iese
Temíamos	Habíamos	temido	**Tem**iéramos	o	**Tem**iésemos
Temíais	Habíais	temido	**Tem**ierais	o	**Tem**ieseis
Temían	Habían	temido	**Tem**ieran	o	**Tem**iesen

Pretérito indefinido	**Pretérito anterior**		**Pretérito pluscuamperfecto**			
Temí	Hube	temido	Hubiera	o	Hubiese	temido
Temiste	Hubiste	temido	Hubieras	o	Hubieses	temido
Temió	Hubo	temido	Hubiera	o	Hubiese	temido
Temimos	Hubimos	temido	Hubiéramos	o	Hubiésemos	temido
Temisteis	Hubisteis	temido	Hubierais	o	Hubieseis	temido
Temieron	Hubieron	temido	Hubieran	o	Hubiesen	temido

Futuro imperfecto	Futuro perfecto		Futuro imperfecto	Futuro perfecto	
Temeré	Habré	temido	**Tem**iere	Hubiere	temido
Temerás	Habrás	temido	**Tem**ieres	Hubieres	temido
Temerá	Habrá	temido	**Tem**iere	Hubiere	temido
Temeremos	Habremos	temido	**Tem**iéremos	Hubiéremos	temido
Temeréis	Habréis	temido	**Tem**iereis	Hubiereis	temido
Temerán	Habrán	temido	**Tem**ieren	Hubieren	temido

Condicional simple	Condicional compuesto		IMPERATIVO
Temería	Habría	temido	**Tem**e
Temerías	Habrías	temido	(**Tem**a)
Temería	Habría	temido	(**Tem**amos)
Temeríamos	Habríamos	temido	
Temeríais	Habríais	temido	**Tem**ed
Temerían	Habrían	temido	(**Tem**an)

Verbo VIVIR

FORMAS NO PERSONALES

Simples

INFINITIVO: **Viv**ir
GERUNDIO: **Viv**iendo
PARTICIPIO: **Viv**ido

Compuestas

Haber   vivido
Habiendo vivido

INDICATIVO

Presente	Pretérito perfecto	
Vivo	He	vivido
Vives	Has	vivido
Vive	Ha	vivido
Vivimos	Hemos	vivido
Vivís	Habéis	vivido
Viven	Han	vivido

Pretérito imperfecto	Pretérito pluscuamperfecto	
Vivía	Había	vivido
Vivías	Habías	vivido
Vivía	Había	vivido
Vivíamos	Habíamos	vivido

SUBJUNTIVO

Presente	Pretérito perfecto	
Viva	Haya	vivido
Vivas	Hayas	vivido
Viva	Haya	vivido
Vivamos	Hayamos	vivido
Viváis	Hayáis	vivido
Vivan	Hayan	vivido

Pretérito imperfecto		
Viviera	o	**Viv**iese
Vivieras	o	**Viv**ieses
Viviera	o	**Viv**iese
Viviéramos	o	**Viv**iésemos

Vivíais	Habíais vivido	Vivierais o Vivieseis
Vivían	Habían vivido	Vivieran o Viviesen

Pretérito indefinido	Pretérito anterior	Pretérito pluscuamperfecto
Viví	Hube vivido	Hubiera o Hubiese vivido
Viviste	Hubiste vivido	Hubieras o Hubieses vivido
Vivió	Hubo vivido	Hubiera o Hubiese vivido
Vivimos	Hubimos vivido	Hubiéramos o Hubiésemos vivido
Vivisteis	Hubisteis vivido	Hubierais o Hubieseis vivido
Vivieron	Hubieron vivido	Hubieran o Hubiesen vivido

Futuro imperfecto	Futuro perfecto	Futuro imperfecto	Futuro perfecto
Viviré	Habré vivido	Viviere	Hubiere vivido
Vivirás	Habrás vivido	Vivieres	Hubieres vivido
Vivirá	Habrá vivido	Viviere	Hubiere vivido
Viviremos	Habremos vivido	Viviéremos	Hubiéremos vivido
Viviréis	Habréis vivido	Viviereis	Hubiereis vivido
Vivirán	Habrán vivido	Vivieren	Hubieren vivido

Condicional simple	Condicional compuesto	IMPERATIVO
Viviría	Habría vivido	Vive
Vivirías	Habrías vivido	(Viva)
Viviría	Habría vivido	(Vivamos)
Viviríamos	Habríamos vivido	
Viviríais	Habríais vivido	Vivid
Vivirían	Habrían vivido	(Vivan)

verbos irregulares

		INDICATIVO		SUBJUNTIVO	IMPERATIVO
	Presente	almuerzo		almuerce	
		almuerzas		almuerces	almuerza
ALMORZAR		almuerza		almuerce	almuerce
		almorzamos		almorcemos	almorcemos
		almorzáis		almorcéis	almorzad
		almuerzan		almuercen	almuercen

		INDICATIVO		SUBJUNTIVO	
	Indefinido	anduve	**Imperfecto**	anduviera/se	
		anduviste		anduvieras/ses	
ANDAR		anduvo		anduviera/se	
		anduvimos		anduviéramos/semos	
		anduvisteis		anduvierais/seis	
		anduvieron		anduvieran/sen	

		INDICATIVO	SUBJUNTIVO	IMPERATIVO
	Presente	quepo	quepa	
		cabes	quepas	
		cabe	quepa	quepa
		cabemos	quepamos	quepamos
		cabéis	quepáis	cabed
		caben	quepan	quepan
		Indefinido / **Imperfecto**		
CABER	**Indefinido**	cupe	**Imperfecto** cupiera/se	
		cupiste	cupieras/ses	
		cupo	cupiera/se	
		cupimos	cupiéramos/semos	
		cupisteis	cupierais/seis	
		cupieron	cupieran/sen	
		FUTURO	**CONDICIONAL**	
		cabré	cabría	
		cabrás	cabrías	
		cabrá	cabría	
		cabremos	cabríamos	
		cabréis	cabríais	
		cabrán	cabrían	

	Presente	caigo	caiga	
		caes	caigas	
		cae	caiga	caiga
		caemos	caigamos	caigamos
		caéis	caigáis	caed
		caen	caigan	caigan
CAER	**Indefinido**	caí	**Imperfecto** cayera/se	
		caiste	cayeras/ses	
		cayó	cayera/se	
		caímos	cayéramos/semos	
		caisteis	cayerais/seis	
		cayeron	cayeran/sen	

	Presente	concibo	conciba	
		concibes	concibas	concibe
		concibe	conciba	conciba
CONCEBIR		concebimos	concibamos	concibamos
		concebís	concibáis	concebid
		conciben	conciban	conciban

		INDICATIVO		SUBJUNTIVO	IMPERATIVO
CONCEBIR					
	Indefinido	concebí	**Imperfecto**	concibiera/se	
		concebiste		concibieras/ses	
		concibió		concibiera/se	
		concebimos		concibiéramos/semos	
		concebisteis		concibierais/seis	
		concibieron		concibieran/sen	
	Presente	concluyo		concluya	
		concluyes		concluyas	concluye
		concluye		concluya	concluya
		concluimos		concluyamos	concluyamos
		concluís		concluyáis	concluid
		concluyen		concluyan	concluyan
CONCLUIR					
	Indefinido	concluí	**Imperfecto**	concluyera/se	
		concluiste		concluyeras/ses	
		concluyó		concluyera/se	
		concluimos		concluyéramos/semos	
		concluisteis		concluyerais/seis	
		concluyeron		concluyeran/sen	
	Presente	conozco		conozca	
		conoces		conozcas	conoce
CONOCER		conoce		conozca	conozca
		conocemos		conozcamos	conozcamos
		conocéis		conozcáis	conoced
		conocen		conozcan	conozcan
	Presente	doy		dé	
		das		des	
		da		dé	dé
		damos		demos	demos
		dais		deis	dad
		dan		den	den
DAR					
	Indefinido	di	**Imperfecto**	diera/se	
		diste		dieras/ses	
		dio		diera/se	
		dimos		diéramos/semos	
		disteis		dierais/seis	
		dieron		dieran/sen	

		INDICATIVO		SUBJUNTIVO	IMPERATIVO
DORMIR	**Presente**	duermo		duerma	
		duermes		duermas	duerme
		duerme		duerma	duerma
		dormimos		durmamos	durmamos
		dormís		durmáis	dormid
		duermen		duerman	duerman
	Indefinido	dormí	**Imperfecto**	durmiera/se	
		dormiste		durmieras/ses	
		durmió		durmiera/se	
		dormimos		durmiéramos/semos	
		dormisteis		durmierais/seis	
		durmieron		durmieran/sen	

		INDICATIVO		SUBJUNTIVO	IMPERATIVO
ENTRETENER	**Presente**	entretengo		entretenga	
		entretienes		entretengas	entretén
		entretiene		entretenga	entretenga
		entretenemos		entretengamos	entretengamos
		entretenéis		entretengáis	entretened
		entretienen		entretengan	entretengan
	Indefinido	entretuve	**Imperfecto**	entretuviera/se	
		entretuviste		entretuvieras/ses	
		entretuvo		entretuviera/se	
		entretuvimos		entretuviéramos/semos	
		entretuvisteis		entretuvierais/seis	
		entretuvieron		entretuvieran/sen	

FUTURO	CONDICIONAL
entretendré	entretendría
entretendrás	entretendrías
entretendrá	entretendría
entretendremos	entretendríamos
entretendréis	entretendríais
entretendrán	entretendrían

		INDICATIVO		SUBJUNTIVO	IMPERATIVO
EXTENDER	**Presente**	extiendo		extienda	
		extiendes		extiendas	extiende
		extiende		extienda	extienda
		extendemos		extendamos	extendamos
		extendéis		extendáis	extended
		extienden		extiendan	extiendan

		INDICATIVO		SUBJUNTIVO	IMPERATIVO
FREGAR	**Presente**	friego		friegue	
		friegas		friegues	friega
		friega		friegue	friegue
		fregamos		freguemos	freguemos
		fregáis		freguéis	fregad
		friegan		frieguen	frieguen
HACER	**Presente**	hago		haga	
		haces		hagas	haz
		hace		haga	haga
		hacemos		hagamos	hagamos
		hacéis		hagáis	haced
		hacen		hagan	hagan
	Indefinido	hice	**Imperfecto**	hiciera/se	
		hiciste		hicieras/ses	
		hizo		hiciera/se	
		hicimos		hiciéramos/semos	
		hicisteis		hicierais/seis	
		hicieron		hicieran/sen	
IR	**Presente**	voy		vaya	
		vas		vayas	ve
		va		vaya	vaya
		vamos		vayamos	vayamos
		vais		vayáis	id
		van		vayan	vayan
	Indefinido	fui	**Imperfecto**	fuera/se	
		fuiste		fueras/ses	
		fue		fuera/se	
		fuimos		fuéramos/semos	
		fuisteis		fuerais/seis	
		fueron		fueran/sen	

		FUTURO	CONDICIONAL
		iré	iría
		irás	irías
		irá	iría
		iremos	iríamos
		iréis	iríais
		irán	irían

		INDICATIVO	SUBJUNTIVO	IMPERATIVO
JUGAR	**Presente**	juego	juegue	
		juegas	juegues	juega
		juega	juegue	juegue
		jugamos	juguemos	juguemos
		jugáis	juguéis	jugad
		juegan	jueguen	jueguen
MENTIR	**Presente**	miento	mienta	
		mientes	mientas	miente
		miente	mienta	mienta
		mentimos	mintamos	mintamos
		mentís	mintáis	mentid
		mienten	mientan	mientan
	Indefinido	mentí	**Imperfecto** mintiera/se	
		mentiste	mintieras/ses	
		mintió	mintiera/se	
		mentimos	mintiéramos/semos	
		mentisteis	mintierais/seis	
		mintieron	mintieran/sen	
NACER	**Presente**	nazco	nazca	
		naces	nazcas	
		nace	nazca	nazca
		nacemos	nazcamos	nazcamos
		nacéis	nazcáis	naced
		nacen	nazcan	nazcan
OÍR	**Presente**	oigo	oiga	
		oyes	oigas	oye
		oye	oiga	oiga
		oímos	oigamos	oigamos
		oís	oigáis	oíd
		oyen	oigan	oigan
OLER	**Presente**	huelo	huela	
		hueles	huelas	huele
		huele	huela	huela
		olemos	olamos	olamos
		oléis	oláis	oled
		huelen	huelan	huelan
PARECER	**Presente**	parezco	parezca	
		pareces	parezcas	
		parece	parezca	parezca

		INDICATIVO		SUBJUNTIVO	IMPERATIVO
		parecemos		parezcamos	parezcamos
		parecéis		parezcáis	pareced
		parecen		parezcan	parezcan
PERDER	**Presente**	pierdo		pierda	
		pierdes		pierdas	pierde
		pierde		pierda	pierda
		perdemos		perdamos	perdamos
		perdéis		perdáis	perded
		pierden		pierdan	pierdan
PODER	**Presente**	puedo		pueda	
		puedes		puedas	puede
		puede		pueda	pueda
		podemos		podamos	podamos
		podéis		podáis	poded
		pueden		puedan	puedan
	Indefinido	pude	**Imperfecto**	pudiera/se	
		pudiste		pudieras/ses	
		pudo		pudiera/se	
		pudimos		pudiéramos/semos	
		pudisteis		pudierais/seis	
		pudieron		pudieran/sen	

	FUTURO	CONDICIONAL
	podré	podría
	podrás	podrías
	podrá	podría
	podremos	podríamos
	podréis	podríais
	podrán	podrían

		INDICATIVO		SUBJUNTIVO	IMPERATIVO
	Presente	pongo		ponga	
		pones		pongas	pon
		pone		ponga	ponga
		ponemos		pongamos	pongamos
		ponéis		pongáis	poned
		ponen		pongan	pongan
PONER	**Indefinido**	puse	**Imperfecto**	pusiera/se	
		pusiste		pusieras/ses	
		puso		pusiera/se	
		pusimos		pusiéramos/semos	
		pusisteis		pusierais/seis	
		pusieron		pusieran/sen	

		FUTURO	CONDICIONAL
		pondré	*pondría*
		pondrás	*pondrías*
		pondrá	*pondría*
		pondremos	*pondríamos*
		pondréis	*pondríais*
		pondrán	*pondrían*

		INDICATIVO	SUBJUNTIVO	IMPERATIVO
PROBAR	**Presente**	*pruebo*	*pruebe*	
		pruebas	*pruebes*	*prueba*
		prueba	*pruebe*	*pruebe*
		probamos	*probemos*	*probemos*
		probáis	*probéis*	*probad*
		prueban	*prueben*	*prueben*

PRODUCIR	**Presente**	*produzco*	*produzca*	
		produces	*produzcas*	*produce*
		produce	*produzca*	*produzca*
		producimos	*produzcamos*	*produzcamos*
		producís	*produzcáis*	*producid*
		producen	*produzcan*	*produzcan*

	Indefinido	INDICATIVO	**Imperfecto**	SUBJUNTIVO
		produje		*produjera/se*
		produjiste		*produjeras/ses*
		produjo		*produjera/se*
		produjimos		*produjéramos/semos*
		produjisteis		*produjerais/seis*
		produjeron		*produjeran/sen*

		INDICATIVO	SUBJUNTIVO	IMPERATIVO
	Presente	*quiero*	*quiera*	
		quieres	*quieras*	*quiere*
		quiere	*quiera*	*quiera*
		queremos	*queramos*	*queramos*
		queréis	*queráis*	*quered*
		quieren	*quieran*	*quieran*

QUERER	**Indefinido**	INDICATIVO	**Imperfecto**	SUBJUNTIVO
		quise		*quisiera/se*
		quisiste		*quisieras/ses*
		quiso		*quisiera/se*
		quisimos		*quisiéramos/semos*
		quisisteis		*quisierais/seis*
		quisieron		*quisieran/sen*

	FUTURO	CONDICIONAL
	querré	*querría*
	querrás	*querrías*
	querrá	*querría*
	querremos	*querríamos*
	querréis	*querríais*
	querrán	*querrían*

		INDICATIVO		SUBJUNTIVO	IMPERATIVO
REÍR	**Presente**	*río*		*ría*	
		ríes		*rías*	*ríe*
		ríe		*ría*	*ría*
		reímos		*riamos*	*riamos*
		reís		*riáis*	*reíd*
		ríen		*rían*	*rían*
	Indefinido	*reí*	**Imperfecto**	*riera/se*	
		reíste		*rieras/ses*	
		rió		*riera/se*	
		reímos		*riéramos/semos*	
		reísteis		*rierais/seis*	
		rieron		*rieran/sen*	
SABER	**Presente**	*sé*		*sepa*	
		sabes		*sepas*	*sabe*
		sabe		*sepa*	*sepa*
		sabemos		*sepamos*	*sepamos*
		sabéis		*sepáis*	*sabed*
		saben		*sepan*	*sepan*
	Indefinido	*supe*	**Imperfecto**	*supiera/se*	
		supiste		*supieras/ses*	
		supo		*supiera/se*	
		supimos		*supiéramos/semos*	
		supisteis		*supierais/seis*	
		supieron		*supieran/sen*	

	FUTURO	CONDICIONAL
	sabré	*sabría*
	sabrás	*sabrías*
	sabrá	*sabría*
	sabremos	*sabríamos*
	sabréis	*sabríais*
	sabrán	*sabrían*

	INDICATIVO	SUBJUNTIVO	IMPERATIVO
Presente	*valgo*	*valga*	
	vales	*valgas*	*vale*
	vale	*valga*	*valga*
	valemos	*valgamos*	*valgamos*
	valéis	*valgáis*	*valed*
	valen	*valgan*	*valgan*

VALER

FUTURO	CONDICIONAL
valdré	*valdría*
valdrás	*valdrías*
valdrá	*valdría*
valdremos	*valdríamos*
valdréis	*valdríais*
valdrán	*valdrían*

CONJUGACIÓN DEL VERBO ABOLIR

INDICATIVO

SE CONJUGAN COMO
ABOLIR:
Aguerrir, arrecir(se), aterir(se), denegrir, desvair, empedernir, guarir, manir, preterir, transgredir.

Pres.: *abolimos, abolís.* Las demás personas no se usan.
Pret. imperf.: *abolía, abolías, abolía, abolíamos, abolíais, abolían.*
Pret. indef.: *abolí, aboliste, abolió, abolimos, abolisteis, abolieron.*
Fut. imperf.: *aboliré, abolirás, abolirá, aboliremos, aboliréis, abolirán.*
Cond. simple: *aboliría, abolirías, aboliría, aboliríamos, aboliríais, abolirían.*
Pret. perfecto: *he abolido...,* etc.
Pret. pluscuamperfecto: *había abolido...,* etc.
Pret. anterior: *hube abolido...,* etc.
Futuro perfecto: *habré abolido...,* etc.
Cond. compuesto: *habría abolido...,* etc.

SUBJUNTIVO

Pres.: No se usa.
Pret. imperfecto: *aboliera o aboliese, abolieras o -ses, aboliera o -se, aboliéramos - o -semos, abolierais o -seis, abolieran o -sen.*
Fut. imperfecto: *aboliere, abolieres, aboliere, aboliéremos, aboliereis, abolieren.*
Pret. perfecto: *haya abolido...,* etc.
Pret. pluscuamperfecto: *hubiera o hubiese abolido...,* etc.
Fut. perfecto: *hubiere abolido...,* etc.

IMPERATIVO

Pres.: *abolid.* Las demás personas no se usan.

FORMAS AUXILIARES

Infinitivo		Gerundio	
SIMPLE	**COMPUESTO**	**SIMPLE**	**COMPUESTO**
abolir	*haber abolido*	*aboliendo*	*habiendo abolido*

Participio

abolido

CONJUGACIÓN DEL VERBO ACERTAR

SE CONJUGAN COMO *ACERTAR*:
Abnegar, acrecentar, alentar, apacentar, apretar, asentar, aserrar, atravesar, calentar, cerrar, comenzar, concertar, confesar, denegar, desalentar, desasosegar, descerrar, desconcertar, desdentar, desempedrar, desenterrar, desgobernar, deshelar, despertar, desplegar, desterrar, emparentar, empedrar, empezar, encerrar, encomendar, enmendar, ensangrentar, enterrar, escarmentar, fregar, helar, herrar, incensar, invernar, mentar, merendar, negar, pensar, plegar, quebrar, recalentar, recomendar, regar, renegar, replegar, requebrar, restregar, reventar, segar, sembrar, sentar, serrar, sosegar, soterrar, temblar, tentar, tropezar.

INDICATIVO

Pres.: *acierto, aciertas, acierta, acertamos, acertáis, aciertan.*
Imp.: *acertaba, acertabas, acertaba..., acertaban.*
Pret. indef.: *acerté, acertaste, acertó, acertamos, acertasteis, acertaron.*
Fut. imperf.: *acertaré, acertarás, acertará, acertaremos, acertaréis, acertarán.*
Cond. simple: *acertaría, acertarías..., acertarían.*

SUBJUNTIVO

Pres.: *acierte, aciertes, acierte, acertemos, acertéis, acierten.*
Pret. imperf.: *acertara o acertase, acertaras o acertases..., acertaran o acertasen.*
Fut. imperf.: *acertare, acertares..., acertaren* (inusual).

IMPERATIVO

Pres.: *acierta, acierte, acertemos, acertad, acierten.*

FORMAS AUXILIARES

Infinitivo	Gerundio	Participio
acertar/haber acertado	*acertando/habiendo acertado*	*acertado*

CONJUGACIÓN DEL VERBO ADQUIRIR

INDICATIVO

Pres.: *adquiero, adquieres, adquiere, adquirimos, adquirís, adquieren.*

SUBJUNTIVO

Pres.: *adquiera, adquieras, adquiera, adquiramos, adquiráis, adquieran.*

SE CONJUGAN COMO *ADQUIRIR*:
Coadquirir, deferir, perquirir, proferir.

IMPERATIVO

Pres.: *adquiere, adquirid.*

CONJUGACIÓN DEL VERBO **AGRADECER**

INDICATIVO

Pres.: *agradezco, agradeces, agradece, agradecemos, agradecéis, agradecen.*
Pret. imperf.: *agradecía, agradecías..., agradecían.*
Pret. indef.: *agradecí, agradeciste, agradeció, agradecimos, agradecisteis, agradecieron.*
Fut. imperf.: *agradeceré, agradecerás..., agradecerán.*
Cond. simple: *agradecería, agradecerías..., agradecerían.*

SUBJUNTIVO

Pres.: *agradezca, agradezcas, agradezca, agradezcamos agradezcais, agradezcan.*
Pret. imperf.: *agradeciera o agradeciese, agradecieras o agradecieses...*
Fut. imperf.: *agradeciere, agradecieres...* (inusual).

IMPERATIVO

Pres.: *agradece, agradezca, agradezcamos, agradeced, agradezcan.*

FORMAS AUXILIARES

Infinitivo	Gerundio	Participio
agradecer/haber agradecido	*agradeciendo/ habiendo agradecido*	*agradecido*

CONJUGACIÓN DEL VERBO **CONDUCIR**

INDICATIVO

Pres: *conduzco, conduces, conduce, conducimos, conducís, conducen.*
Pret. indef.: *conduje, condujiste, condujo, condujimos, condujisteis, condujeron.*

SUBJUNTIVO

Pres.: *conduzca, conduzcas, conduzca, conduzcamos, conduzcáis, conduzcan.*
Pret. imperf.: *condujera o condujese, condujeras o -ses, condujera o -se, condujéramos o -semos, condujerais o -seis, condujeran o -sen.*
Fut. imperf.: *condujere, condujeres, condujere, condujéremos, condujereis, condujeren.*

CONJUGACIÓN DEL VERBO CONTAR

INDICATIVO

Pres.: *cuento, cuentas, cuenta, contamos, contáis, cuentan.*
Pret. imperf.: *contaba, contabas…, contaban.*
Pret. indef.: *conté, contaste, contó, contamos, contasteis, contaron.*
Fut. imperf.: *contaré, contarás, contará, contaremos, contaréis, contarán.*
Cond. simple: *contaría, contarías…, contarían.*

SUBJUNTIVO

Pres.: *cuente, cuentes, cuente, contemos, contéis, cuenten.*
Pret. imperf.: *contara o contase, contaras o contases…, contaran o contasen.*
Fut. imperf.: *contare, contares…, contaren* (inusual).

IMPERATIVO

Pres.: *cuenta, cuente, contemos, contad, cuenten.*

FORMAS AUXILIARES

Infinitivo	Gerundio	Participio
contar/haber contado	*contando/habiendo contado*	*contado*

CONJUGACIÓN DEL VERBO DECIR

INDICATIVO

Pres.: *digo, dices, dice, decimos, decís, dicen.*
Pret. imperf.: *decía, decías, decía, decíamos, decíais, decían.*
Pret. indef.: *dije, dijiste, dijo, dijimos, dijisteis, dijeron.*
Fut. imperf.: *diré, dirás, dirá, diremos, diréis, dirán.*
Cond. simple: *diría, dirías, diría, diríamos, diríais, dirían.*

SUBJUNTIVO

Pres.: *diga, digas, diga, digamos, digáis, digan.*
Pret. imperf.: *dijera o dijese, dijeras o -ses, dijera o -se, dijéramos o -semos, dijerais o -seis, dijeran o -sen.*
Fut. imperf.: *dijere, dijeres, dijere, dijéremos, dijereis, dijeren.*

IMPERATIVO

Pres.: *di, decid.*

FORMAS AUXILIARES

Infinitivo	Gerundio	Participio
decir/haber dicho	*diciendo/habiendo dicho*	*dicho*

CONJUGACIÓN DEL VERBO ENTENDER

INDICATIVO

Pres.: *entiendo, entiendes, entiende, entendemos, entendéis, en-tienden.*
Pret. imperf.: *entendía, entendías…, entendían.*
Pret. indef.: *entendí, entendiste, entendió, entendimos, entendis-teis, entendieron.*
Fut. imperf.: *entenderé, entenderás, entenderá, entenderemos, en-tenderéis, entenderán.*
Cond. simple: *entendería, entenderías…, entenderían.*

SUBJUNTIVO

Pres.: *entienda, entiendas, entienda, entendamos, entendáis, en-tiendan.*
Pret. imperf.: *entendiera o entendiese, entendieras o entendie-ses…, entendieran o entendiesen…*
Fut. imperf.: *entendiere, entendieres…, entendieren* (inusual).

IMPERATIVO

Pres.: *entiende, entienda, entendamos, entended, entiendan.*

FORMAS AUXILIARES

Infinitivo	Gerundio	Participio
entender/haber entendido	*entendiendo/habiendo entendido*	*entendido*

CONJUGACIÓN DEL VERBO HUIR

INDICATIVO

Pres.: *huyo, huyes, huye, huimos, huís, huyen.*
Pret. imperf.: *huía, huíais, huía, huíamos, huíais, huían.*
Pret. indef.: *huí, huiste, huyó, huimos, huisteis, huyeron.*
Fut. imperf.: *huiré, huirás, huirá,* etc.
Cond. simple.: *huiría, huirías,* etc.

SUBJUNTIVO

Pres.: *huya, huyas, huya, huyamos, huyáis, huyan.*
Pret. imperf.: *huyera o huyese, huyeras o huyeses,* etc.
Fut. imperf.: *huyere, huyeres,* etc.

IMPERATIVO

Pres.: *huye, huya, huyamos, huid, huyan.*

FORMAS AUXILIARES

Infinitivo	Gerundio	Participio
huir/haber huido	*huyendo/habiendo huido*	*huido*

CONJUGACIÓN DEL VERBO **MOVER**

INDICATIVO

Pres.: *muevo, mueves, mueve, movemos, movéis, mueven.*
Pret. imperf.: *movía, movías…, movían.*
Pret. indef.: *moví, moviste, movió, movimos, movisteis, movieron.*
Fut. imperf.: *moveré, moverás, moverá, moveremos, moveréis, moverán.*
Cond. simple: *movería, moverías, movería…, moverían.*

SUBJUNTIVO

Pres.: *mueva, muevas, mueva, movamos, mováis, muevan.*
Pret. imperf.: *moviera o moviese, movieras o movieses…, movie-ran o moviesen.*
Fut. imperf.: *moviere, movieres…, movieren* (inusual).

IMPERATIVO

Pres.: *mueve, mueva, movamos, moved, muevan.*

FORMAS AUXILIARES

Infinitivo	Gerundio	Participio
mover/haber movido	*moviendo/habiendo movido*	*movido*

CONJUGACIÓN DEL VERBO **MULLIR**

INDICATIVO

Pret. indef.: *mullí, mulliste, mulló, mullimos, mullisteis, mulleron.*

SUBJUNTIVO

Pret. imperf.: *mullera o mullese, mulleras o -ses, mullera o -se, mulléramos o -semos, mullerais o -seis, mulleran o -sen.*
Fut. imperf.: *mullere, mulleres, mullere, mulléremos, mullereis, mulleren.*

IMPERATIVO

Pres.: *mulle, mulla, mullamos, mullid, mullan.*

FORMAS AUXILIARES

Infinitivo	Gerundio	Participio
mullir/haber mullido	*mullendo/habiendo mullido*	*mullido*

CONJUGACIÓN DEL VERBO **PEDIR**

INDICATIVO

Pres.: *pido, pides, pide, pedimos, pedís, piden.*
Pret. imperf.: *pedía, pedías..., pedían.*
Pret. indef.: *pedí, pediste, pidió, pedimos, pedisteis, pidieron.*
Fut. imperf.: *pediré, pedirás, pedirá, pediremos, pediréis, pedirán.*
Cond. simple: *pediría, pedirías..., pedirían.*

SUBJUNTIVO

Pres.: *pida, pidas, pida, pidamos, pidáis, pidan.*
Pret. imperf.: *pidiera o pidiese, pidieras o pidieses..., pidieran o pidiesen.*
Fut. imperf.: *pidiere, pidieres..., pidieren* (inusual).

IMPERATIVO

Pres.: *pide, pida, pidamos, pedid, pidan.*

FORMAS AUXILIARES

Infinitivo	Gerundio	Participio
pedir/haber pedido	*pidiendo/habiendo pedido*	*pedido*

CONJUGACIÓN DEL VERBO **SENTIR**

INDICATIVO

Pres.: *siento, sientes, siente, sentimos, sentís, sienten.*
Pret. indef.: *sentí, sentiste, sintió, sentimos, sentisteis, sintieron.*

SUBJUNTIVO

Pres.: *sienta, sientas, sienta, sintamos, sintáis, sientan.*
Pret. imperf.: *sintiera o sintiese, sintieras o -ses, sintiera o -se, sintiéramos o -semos, sintierais o -seis, sintieran o -sen.*
Fut. imperf.: *sintiere, sintieres, sintiere, sintiéremos, sintiereis, sintieren.*

IMPERATIVO

Pres.: *siente, sentid.*

FORMAS AUXILIARES

Infinitivo	Gerundio	Participio
sentir/haber sentido	*sintiendo/habiendo sentido*	*sentido*

CONJUGACIÓN DEL VERBO **TENER**

INDICATIVO

Pres.: *tengo, tienes, tiene, tenemos, tenéis, tienen.*
Pret. imperf.: *tenía, tenías..., tenían.*
Pret. indef.: *tuve, tuviste, tuvo, tuvimos, tuvisteis, tuvieron.*
Fut. imperf.: *tendré, tendrás, tendrá, tendremos, tendréis, tendrán.*
Cond. simple: *tendría, tendrías..., tendrían.*

SUBJUNTIVO

Pres.: *tenga, tengas, tenga, tengamos, tengáis, tengan.*
Pret. imperf.: *tuviera o tuviese, tuvieras o tuvieses..., tuvieran o tuviesen.*
Fut. imperf.: *tuviere, tuvieres, tuviere..., tuvieren* (inusual).

IMPERATIVO

Pres.: *ten, tenga, tengamos, tened, tengan.*

FORMAS AUXILIARES

Infinitivo	Gerundio	Participio
tener/haber tenido	*teniendo/habiendo tenido*	*tenido*

CONJUGACIÓN DEL VERBO **TRAER**

INDICATIVO

Pres.: *traigo, traes, trae, traemos, traéis, traen.*
Pret. imperf.: *traía, traías..., traían.*
Fut. imperf.: *traeré, traerás, traerá, traeremos, traeréis, traerán.*
Cond. simple: *traería, traerías..., traerían.*

SUBJUNTIVO

Pres.: *traiga, traigas..., traigan.*
Pret. imperf.: *trajera o trajese, trajeras o trajeses..., trajeran o trajesen.*
Fut. imperf.: *trajere, trajeres..., trajeren* (inusual).

IMPERATIVO

Pres.: *trae, traiga, traigamos, traed, traigan.*

FORMAS AUXILIARES

Infinitivo	Gerundio	Participio
traer/haber traído	*trayendo/habiendo traído*	*traído*

CONJUGACIÓN DEL VERBO VENIR

INDICATIVO

Pres.: *vengo, vienes, viene, venimos, venís, vienen.*
Pret. imperf.: *venía, venías, venía, veníamos, veníais, venían.*
Pret. indef.: *vine, viniste, vino, vinimos, vinisteis, vinieron.*
Fut. imperf.: *vendré, vendrás, vendrá, vendremos, vendréis, vendrán.*
Cond. simple: *vendría, vendrías, vendría, vendríamos, vendríais, vendrían.*

SUBJUNTIVO

Pres.: *venga, vengas, venga, vengamos, vengáis, vengan.*
Pret. imperf.: *viniera, o viniese, vinieras o -ses, viniera o -se, viniéramos o -semos, vinierais o -seis, vinieran o -sen.*
Fut. imperf.: *viniere, vinieres, viniere, viniéremos, viniereis, vinieren.*

IMPERATIVO

Pres.: *ven, venga, vengamos, venid, vengan.*

FORMAS AUXILIARES

Infinitivo	Gerundio	Participio
venir/haber venido	*viniendo/habiendo venido*	*venido*

CONJUGACIÓN DEL VERBO VER

INDICATIVO

Pres.: *veo, ves, ve, vemos, veis, ven.*
Pret. imperf.: *veía, veías, veía, veíamos, veíais, veían.*
Pret. indef.: *vi, viste, vio, vimos, visteis, vieron.*
Fut. imperf.: *veré, verás, verá, veremos, veréis, verán.*
Cond. simple.: *vería, verías, vería, veríamos, veríais, verían.*

SUBJUNTIVO

Pres.: *vea, veas, vea, veamos, veáis, vean.*
Pret. imperf.: *viera o viese, vieras o -ses, viera o -se, viéramos, o -semos, vierais, o -seis, vieran o -sen.*
Fut. imperf.: *viere, vieres, viere, viéremos, viereis, vieren.*

IMPERATIVO

Pres.: *ve, vea, veamos, ved, vean.*

FORMAS AUXILIARES

Infinitivo	Gerundio	Participio
ver/haber visto	*viendo/habiendo visto*	*visto*

verbos impersonales

Los verbos impersonales, referidos casi todos a fenómenos atmosféricos, sólo se usan en las formas simples y compuestas del infinitivo y del gerundio y en las terceras personas del singular de todos los tiempos menos del imperativo. Ejemplo: *llover*.

CONDICIONAL

Simple: *llovería*   **Compuesto:** *habría llovido*

MODO INDICATIVO

Presente	**Pretérito perfecto**
llueve	*ha llovido*
Pret. imperfecto	**Pret. pluscuamperfecto**
llovía	*había llovido*
Pret. indefinido	**Pret. anterior**
llovió	*hubo llovido*
Futuro imperfecto	**Futuro perfecto**
lloverá	*habrá llovido*

MODO SUBJUNTIVO

Presente	**Pret. perfecto**
llueva	*haya llovido*
Pret. imperfecto	**Pret. pluscuamperfecto**
lloviera o *lloviese*	*hubiera* o *hubiese llovido*
Futuro imperfecto	**Futuro perfecto**
lloviere	*hubiere llovido*

FORMAS AUXILIARES

INFINITIVO

Simple: *llover*   **Compuesto:** *haber llovido*

PARTICIPIO

llovido

GERUNDIO

Simple: *lloviendo*   **Compuesto:** *habiendo llovido*

SE USAN COMO IMPERSONALES:

Acaecer, acontecer, alborear, amanecer, anochecer, atañer, atardecer, atenebrarse, atronar, centellear, clarear, clarecer, concernir, coruscar, chaparrear, chispear, deshelar, desnevar, diluviar, escampar, escarchar, granizar, helar, incumbir, lobreguecer, llover, lloviznar, molliznar, molliznear, nevar, neviscar, oscurecer, pesar (tener dolor), *relampaguear, retronar, rielar, rutilar, suceder, tardecer, tronar, ventar, ventear, ventisquear.*

conjugación pronominal

Se obtiene añadiendo los pronombres *me, te, se, nos, os,* a las personas y tiempos del verbo.

MODO INDICATIVO

Presente	Pretérito imperfecto	Pretérito indefinido	Futuro imperfecto
Yo me lavo	Yo me lavaba	Yo me lavé	Yo me lavaré
Tú te lavas	Tú te lavabas	Tú te lavaste	Tú te lavarás
Él se lava	Él se lavaba	Él se lavó	Él se lavará
Nosotros nos lavamos	Nosotros nos lavábamos	Nosotros nos lavamos	Nosotros nos lavaremos
Vosotros os laváis	Vosotros os lavabais	Vosotros os lavasteis	Vosotros os lavaréis
Ellos se lavan	Ellos se lavaban	Ellos se lavaron	Ellos se lavarán

Pretérito perfecto	Pretérito pluscuamperfecto	Pretérito anterior	Futuro perfecto
me he lavado	me había lavado	me hube lavado	me habré lavado
te has lavado	te habías lavado	te hubiste lavado	te habrás lavado
se ha lavado	se había lavado	se hubo lavado	se habrá lavado
nos hemos lavado	nos habíamos lavado	nos hubimos lavado	nos habremos lavado
os habéis lavado	os habíais lavado	os hubisteis lavado	os habréis lavado
se han lavado	se habían lavado	se hubieron lavado	se habrán lavado

MODO SUBJUNTIVO

Presente	Pretérito imperfecto	Futuro imperfecto
me lave	me lavara/me lavase	me lavare
te laves	te lavaras/te lavases	te lavares
se lave	se lavara/se lavase	se lavare
nos lavemos	nos laváramos/nos lavásemos	nos laváremos
os lavéis	os lavarais/os lavaseis	os lavareis
se laven	se lavaran/se lavasen	se lavaren

Pretérito perfecto	Pretérito pluscuamperfecto	Futuro perfecto
me haya lavado	me hubiera lavado/me hubiese lavado	me hubiere lavado
te hayas lavado	te hubieras lavado/te hubieses lavado	te hubieres lavado
se haya lavado	se hubiera lavado/se hubiese lavado	se hubiere lavado
nos hayamos lavado	nos hubiéramos lavado/nos hubiésemos lavado	nos hubiéremos lavado
os hayáis lavado	os hubierais lavado/os hubieseis lavado	os hubiereis lavado
se hayan lavado	se hubieran lavado/se hubiesen lavado	se hubieren lavado

CONDICIONAL

SIMPLE	COMPUESTO
me lavaría	me habría lavado
te lavarías	te habrías lavado

IMPERATIVO

Presente

—

lávate

se lavaría   se habría lavado   lávese
nos lavaríamos   nos habríamos lavado   lavémonos
os lavaríais   os habríais lavado   lavaos
se lavarían   se habrían lavado   lávense

INFINITIVO		GERUNDIO		PARTICIPIO
SIMPLE	**COMPUESTO**	**SIMPLE**	**COMPUESTO**	
lavarse	haberse lavado	lavándose	habiéndose lavado	lavado

conjugación de la voz pasiva

Se obtiene añadiendo el participio pasivo del verbo que se conjuga a cada una de las personas y tiempos del verbo auxiliar *ser*.

CONJUGACIÓN DEL VERBO **AMAR** EN LA VOZ PASIVA

MODO INDICATIVO

Presente

Yo soy amado
Tú eres amado
Él es amado
Nos. somos amados
Vos. sois amados
Ellos son amados

Pretérito imperfecto

Yo era amado
Tú eras amado
Él era amado
Nos. éramos amados
Vos. erais amados
Ellos eran amados

Pretérito indefinido

Yo fui amado
Tú fuiste amado
Él fue amado
Nos. fuimos amados
Vos. fuisteis amados
Ellos fueron amados

Futuro imperfecto

Yo seré amado
Tú serás amado
Él será amado
Nos. seremos amados
Vos. seréis amados
Ellos serán amados

Pretérito perfecto

he sido amado
has sido amado
ha sido amado
hemos sido amados
habéis sido amados
han sido amados

Pret. pluscuamperfecto

había sido amado
habías sido amado
había sido amado
habíamos sido amados
habíais sido amados
habían sido amados

Pretérito anterior

hube sido amado
hubiste sido amado
hubo sido amado
hubimos sido amados
hubisteis sido amados
hubieron sido amados

Futuro perfecto

habré sido amado
habrás sido amado
habrá sido amado
habremos sido amados
habréis sido amados
habrán sido amados

MODO SUBJUNTIVO

Presente

sea amado
seas amado
sea amado
seamos amados
seáis amados
sean amados

Pretérito imperfecto

fuera o fuese amado
fueras o fueses amado
fuera o fuese amado
fuéramos o fuésemos amados
fuerais o fueseis amados
fueran o fuesen amados

Futuro imperfecto

fuere amado
fueres amado
fuere amado
fuéremos amados
fuereis amados
fueren amados

Pretérito perfecto	Pretérito pluscuamperfecto	Futuro perfecto
haya sido amado	hubiera o hubiese sido amado	hubiere sido amado
hayas sido amado	hubieras o hubieses sido amado	hubieres sido amado
haya sido amado	hubiera o hubiese sido amado	hubiere sido amado
hayamos sido amados	hubiéramos o hubiésemos sido amados	hubiéremos sido amados
hayáis sido amados	hubierais o hubieseis sido amados	hubiereis sido amados
hayan sido amados	hubieran o hubiesen sido amados	hubieren sido amados

CONDICIONAL

SIMPLE	COMPUESTO
sería amado	habría sido amado
serías amado	habrías sido amado
sería amado	habría sido amado
seríamos amados	habríamos sido amados
seríais amados	habríais sido amados
serían amados	habrían sido amados

IMPERATIVO

Presente

sé tú amado
sea él amado
seamos nosotros amados
sed vosotros amados
sean ellos amados

INFINITIVO

SIMPLE	COMPUESTO
ser amado	haber sido amado

GERUNDIO

SIMPLE	COMPUESTO
siendo amado	habiendo sido amado

conjugación perifrástica

Se obtiene con los verbos *haber de* y *tener que*, usados como auxiliares en sus tiempos y personas, seguidos del infinitivo del verbo que se conjuga.

HABER DE CANTAR/TENER QUE CANTAR

MODO INDICATIVO

Presente

Yo he de cantar - Yo tengo que cantar
Tú has de cantar - Tú tienes que cantar
Él ha de cantar - Él tiene que cantar
Nosotros hemos de cantar - Nosotros tenemos que cantar
Vosotros habéis de cantar - Vosotros tenéis que cantar
Ellos han de cantar - Ellos tienen que cantar

Pretérito indefinido

Yo hube de cantar - tuve que cantar
Tú hubiste de cantar - tuviste que cantar
Él hubo de cantar - tuvo que cantar
Nosotros hubimos de cantar - tuvimos que cantar
Vosotros hubisteis de cantar - tuvisteis que cantar
Ellos hubieron de cantar - tuvieron que cantar

Pretérito imperfecto

Yo había de o tenía que cantar
Tú habías de o tenías que cantar
Él había de o tenía que cantar

Futuro imperfecto

Yo habré de o tendré que cantar
Tú habrás de o tendrás que cantar
Él habrá de o tendrá que cantar

Nosotros habíamos de o teníamos que cantar
Vosotros habíais de o teníais que cantar
Ellos habían de o tenían que cantar

Nosotros habremos de o tendremos que cantar
Vosotros habréis de o tendréis que cantar
Ellos habrán de o tendrán que cantar

MODO SUBJUNTIVO

Presente

Yo haya de o tenga que cantar
Tú hayas de o tengas que cantar
Él haya de o tenga que cantar
Nosotros hayamos de o tengamos que cantar

Vosotros hayáis de o tengáis que cantar

Ellos hayan de o tengan que cantar

Pretérito imperfecto

Yo hubiera de o tuviera que cantar
Tú hubieras-ieses de o tuvieras-ieses que cantar
Él hubiera-iese de o tuviera-iese que cantar
Nosotros hubiéramos-iésemos de o
        tuviéramos-iésemos que cantar
Vosotros hubierais-ieseis de o
        tuvierais-ieseis que cantar
Ellos hubieran-iesen de o tuvieran-iesen
        que cantar

CONDICIONAL

Yo habría de o tendría que cantar
Tú habrías de o tendrías que cantar
Él habría de o tendría que cantar
Nosotros habríamos de o tendríamos que cantar
Vosotros habríais de o tendríais que cantar
Ellos habrían de o tendrían que cantar

INFINITIVO

haber de o tener que cantar

GERUNDIO

habiendo de o teniendo que cantar

participios irregulares

VERBOS CON UN SOLO PARTICIPIO IRREGULAR

Abrir	abierto	Morir	muerto
Cubrir	cubierto	Poner	puesto
Decir	dicho	Resolver	resuelto
Escribir	escrito	Ver	visto
Hacer	hecho	Volver	vuelto

VERBOS CON DOS PARTICIPIOS

Abstraer:	abstraído	abstracto		Comprimir:	comprimido	compreso
Afligir:	afligido	aflicto		Concluir:	concluido	concluso
Ahitar:	ahitado	ahíto		Concretar:	concretado	concreto
Atender:	atendido	atento		Confesar:	confesado	confeso
Bendecir:	bendecido	bendito		Confundir:	confundido	confuso
Circuncidar:	circuncidado	circunciso		Consumir:	consumido	consunto
Compeler:	compelido	compulso		Contundir:	contundido	contuso
Comprender:	comprendido	comprenso		Convencer:	convencido	convicto

Convertir:	*convertido*	*converso*		Llenar:	*llenado*	*lleno*
Corregir:	*corregido*	*correcto*		Maldecir:	*maldecido*	*maldito*
Corromper:	*corrompido*	*corrupto*		Manifestar:	*manifestado*	*manifiesto*
Despertar:	*despertado*	*despierto*		Nacer:	*nacido*	*nato*
Difundir:	*difundido*	*difuso*		Obsesionar:	*obsesionado*	*obseso*
Dividir:	*dividido*	*diviso*		Oprimir:	*oprimido*	*opreso*
Elegir:	*elegido*	*electo*		Pasar:	*pasado*	*paso*
Enjugar:	*enjugado*	*enjuto*		Poseer:	*poseído*	*poseso*
Excluir	*excluido*	*excluso*		Prender:	*prendido*	*preso*
Eximir:	*eximido*	*exento*		Presumir:	*presumido*	*presunto*
Expeler:	*expelido*	*expulso*		Pretender:	*pretendido*	*pretenso*
Expresar:	*expresado*	*expreso*		Propender:	*propendido*	*propenso*
Extender:	*extendido*	*extenso*		Proveer:	*proveído*	*provisto*
Extinguir:	*extinguido*	*extinto*		Recluir:	*recluido*	*recluso*
Fijar:	*fijado*	*fijo*		Romper:	*rompido*	*roto*
Freír:	*freído*	*frito*		Salvar:	*salvado*	*salvo*
Hartar:	*hartado*	*harto*		Secar:	*Secado*	*seco*
Imprimir:	*imprimido*	*impreso*		Soltar:	*soltado*	*suelto*
Incluir:	*incluido*	*incluso*		Sujetar:	*sujetado*	*sujeto*
Incurrir:	*incurrido*	*incurso*		Suprimir:	*suprimido*	*supreso*
Ingerir:	*ingerido*	*ingerto*		Suspender:	*suspendido*	*suspenso*
Injertar:	*injertado*	*injerto*		Sustituir:	*sustituido*	*sustituto*
Insertar:	*insertado*	*inserto*		Teñir:	*teñido*	*tinto*
Invertir:	*invertido*	*inverso*		Torcer:	*torcido*	*tuerto*
Juntar:	*juntado*	*junto*		Vencer:	*vencido*	*victo*

verbos con cambios ortográficos

PRIMERA CONJUGACIÓN

- Los verbos terminados en *-car,* cambian la **c** en **qu** delante de **e**.
  EJEMPLO: *Aplicar*

PRETÉRITO INDEFINIDO		PRESENTE IMPERATIVO		PRESENTE SUBJUNTIVO	
apliqué	*aplicamos*	—	*apliquemos*	*aplique*	*apliquemos*
aplicaste	*aplicasteis*	*aplica*	*aplicad*	*apliques*	*apliquéis*
aplicó	*aplicaron*	*aplique*	*apliquen*	*aplique*	*apliquen*

- Los terminados en *-gar,* introducen una **u** tras la **g** delante de **e**.
  EJEMPLO: *Fatigar*

PRETÉRITO INDEFINIDO		PRESENTE IMPERATIVO		PRESENTE SUBJUNTIVO	
fatigué	*fatigamos*	—	*fatiguemos*	*fatigue*	*fatiguemos*
fatigaste	*fatigasteis*	*fatiga*	*fatigad*	*fatigues*	*fatiguéis*
fatigó	*fatigaron*	*fatigue*	*fatiguen*	*fatigue*	*fatiguen*

- Los terminados en *-zar,* cambian la **z** en **c** delante de **e**.
  EJEMPLO: *Trazar*

PRETÉRITO INDEFINIDO		PRESENTE IMPERATIVO		PRESENTE SUBJUNTIVO	
tracé	*trazamos*	—	*tracemos*	*trace*	*tracemos*
trazaste	*trazasteis*	*traza*	*trazad*	*traces*	*tracéis*
trazó	*trazaron*	*trace*	*tracen*	*trace*	*tracen*

SEGUNDA CONJUGACIÓN

- Los verbos terminados en -*cer,* cambian la **c** en **z** delante de **o**, **a**, en los tres presentes.
  EJEMPLO: *Vencer*

PRESENTE INDICATIVO		PRESENTE IMPERATIVO		PRESENTE SUBJUNTIVO	
venzo	*vencemos*	—	*venzamos*	*venza*	*venzamos*
vences	*vencéis*	*vence*	*venced*	*venzas*	*venzáis*
vence	*vencen*	*venza*	*venzan*	*venza*	*venzan*

- Los terminados en -*ger,* cambian la **g** en **j** delante de **o**, **a**, en los tres presentes.
  EJEMPLO: *Coger*

PRESENTE INDICATIVO		PRESENTE IMPERATIVO		PRESENTE SUBJUNTIVO	
cojo	*cogemos*	—	*cojamos*	*coja*	*cojamos*
coges	*cogéis*	*coge*	*coged*	*cojas*	*cojáis*
coge	*cogen*	*coja*	*cojan*	*coja*	*cojan*

- Los terminados en -*er,* convierten la **i** de algunos tiempos en **y**.
  EJEMPLO: *Leer*

PRETÉRITO INDEFINIDO		PRET. IMPERF. SUBJUNTIVO		FUT. IMPERF. SUBJUNTIVO	
leí	*leímos*	*leyera-leyese*	*leyéramos-leyésemos*	*leyere*	*leyéremos*
leíste	*leisteis*	*leyeras-leyeses*	*leyerais-leyeseis*	*leyeres*	*leyereis*
leyó	*leyeron*	*leyera-leyese*	*leyeran-leyesen*	*leyere*	*leyeren*

GERUNDIO
leyendo

TERCERA CONJUGACIÓN

- Los verbos terminados en -*cir,* cambian la **c** en **z** delante de **o**, **a**, en los tres presentes.
  EJEMPLO: *Esparcir*

PRESENTE INDICATIVO		PRESENTE IMPERATIVO		PRESENTE SUBJUNTIVO	
esparzo	*esparcimos*	—	*esparzamos*	*esparza*	*esparzamos*
esparces	*esparcís*	*esparce*	*esparcid*	*esparzas*	*esparzáis*
esparce	*esparcen*	*esparza*	*esparzan*	*esparza*	*esparzan*

- Los terminados en -*gir,* cambian, en los tres presentes, la **g** en **j** delante de **o**, **a**.
  EJEMPLO: *Dirigir*

PRESENTE INDICATIVO		PRESENTE IMPERATIVO		PRESENTE SUBJUNTIVO	
dirijo	*dirigimos*	—	*dirijamos*	*dirija*	*dirijamos*
diriges	*dirigís*	*dirige*	*dirigid*	*dirijas*	*dirijáis*
dirige	*dirigen*	*dirija*	*dirijan*	*dirija*	*dirijan*

- Los terminados en *-guir,* pierden la **u** delante de **o**, **a**, en los tres presentes.
  EJEMPLO: *Distinguir*

PRESENTE INDICATIVO		PRESENTE IMPERATIVO		PRESENTE SUBJUNTIVO	
distingo	*dintinguimos*	—	*distingamos*	*distingan*	*distingamos*
distingues	*distinguís*	*distingue*	*distinguid*	*distingas*	*distingáis*
distingue	*distinguen*	*distinga*	*distingan*	*distinga*	*distingan*

- Los terminados en *-quir,* cambian la **qu** en **c** delante de **o**, **a**, en los tres presentes.
  EJEMPLO: *Delinquir*

PRESENTE INDICATIVO		PRESENTE IMPERATIVO		PRESENTE SUBJUNTIVO	
delinco	*delinquimos*	—	*delincamos*	*delinca*	*delincamos*
delinques	*delinquís*	*delinque*	*delinquid*	*delincas*	*delincáis*
delinque	*delinquen*	*delinca*	*delincan*	*delinca*	*delincan*

Lo presentado en este capítulo se encuentra en **ESPAÑOL 2000**,

Nivel **elemental:** págs. 262, 263, 264, 265, 266, 267 y 268.

Nivel **medio** : págs. 232, 233, 234, 235, 236, 237, 238, 239, 240, 241, 242 y 243.

Nivel **superior** : págs. 190, 191, 192, 193, 194, 195, 196, 197, 198, 199, 200, 201, 202, 203, 204 y 205.

capítulo VII el verbo

el verbo

Se denomina conjugación de un verbo al conjunto ordenado de sus formas. Dentro de ellas se incluyen el **infinitivo**, el **gerundio** y el **participio**, que no poseen las desinencias de número y persona.

El verbo español se compone de:

RAÍZ + CARACTERÍSTICAS + DESINENCIAS
morfemas de modo   morfemas verbales
y tiempo   de número y persona

cant + **a** + **-ba-** + **mos**
raíz   vocal   características desinencia
temática tiempo y modo número y persona

Los verbos españoles se clasifican en tres grupos:

1.ª conjugación: acabados en **-ar**   *cantar*
2.ª conjugación: acabados en **-er**   *temer*
3.ª conjugación: acabados en **-ir**   *partir*

desinencias

Las desinencias comprenden los morfemas de número y persona:

		Desinencias generales	Pretérito indefinido	Imperativo
SINGULAR	1.ª	—	—	—
	2.ª	*-s*	*-ste*	—
	3.ª	—	—	—
PLURAL	1.ª	*-mos*	*-mos*	—
	2.ª	*-is*	*-steis*	*-d*
	3.ª	*-n*	*-ron*	—

NOTA: Cuando *-mos* va seguido del pronombre enclítico *nos,* adopta la forma *-mo: Démonos prisa.*

También es regular la pérdida de la desinencia -d del imperativo ante el pronombre enclítico os:

Sentaos, callaos y estaos quietos.

Se exceptúa el imperativo del verbo ir: *idos.*

tiempos y modos

La flexión de los verbos españoles presenta formas simples y formas compuestas. Cada una de las formas simples se corresponde con la forma compuesta correspondiente (constituida por la forma simple del verbo *haber*, seguida del participio del verbo que se conjuga), excepto el **imperativo**, que sólo presenta formas simples.

La conjugación comprende tres modos verbales: **indicativo**, **subjuntivo** e **imperativo**.

Modo indicativo

Tiempos simples	Tiempos compuestos
Presente	*Pretérito perfecto*
Pretérito imperfecto	*Pretérito pluscuamperfecto*
Pretérito indefinido	*Pretérito anterior*
Futuro simple	*Futuro compuesto*
Condicional simple	*Condicional compuesto*

Modo subjuntivo

Tiempos simples	Tiempos compuestos
Presente	*Pretérito perfecto*
Pretérito imperfecto	*Pretérito pluscuamperfecto*
Futuro simple	*Futuro compuesto*

El **infinitivo**, **gerundio** y **participio**, desprovistos de morfemas de número y persona, presentan formas simples y formas compuestas.

temas y características

Tres son los temas en que se agrupan las formas verbales:

— Tema de presente: *Presente de indicativo, presente de subjuntivo, pretérito imperfecto de indicativo, imperativo e infinitivo.*

— Tema de perfecto: *Pretérito indefinido, pretérito imperfecto y futuro de subjuntivo.*

— Tema de futuro: *Futuro y condicional.*

matices temporales según los modos

	INDICATIVO		SUBJUNTIVO		IMPERATIVO
	Tiempos imperfectos	Tiempos perfectos	Tiempos imperfectos	Tiempos perfectos	Tiempo único
TIEMPOS ABSOLUTOS	*Presente* *Futuro simple*	*Pretérito perfecto* *Pretérito indefinido*			*Presente*
TIEMPOS RELATIVOS	*Pretérito imperfecto* *Condicional simple*	*Pretérito pluscuamperfecto* *Pretérito anterior* *Futuro compuesto* *Condicional compuesto*	*Presente* *Pretérito imperfecto*	*Pretérito perfecto* *Pretérito pluscuamperfecto*	

Ejemplos comparados de indicativo y subjuntivo

INDICATIVO

Presente: *Creo que alguien* lee *en voz alta.*

Pretérito indefinido: *Todos afirman que Rómulo* fundó *Roma.*

Pretérito imperfecto: *Me pareció que* cantaban *en el salón.*

Pretérito perfecto: *Se ve que por aquí* ha pasado *la tropa.*

Pretérito pluscuamperfecto: *Se notaba que* había vivido *allí.*

Condicional simple: *Creían que* daría *un concierto de piano.*

Condicional compuesto: *Me figuraba que se lo* habrías dicho.

SUBJUNTIVO

Presente: *No creo que alguien* lea *en voz alta.*

Pretérito imperfecto: *Todos niegan que Rómulo* fundara *Roma.*

Pretérito imperfecto: *No me pareció que* cantasen *en el salón.*

Pretérito perfecto: *No se ve que por aquí* haya pasado *la tropa.*

Pretérito pluscuamperfecto: *No se notaba que* hubiera vivido *allí.*

Pretérito imperfecto: *No creían que* diera *un concierto de piano.*

Pretérito pluscuamperfecto: *No me figuraba que se lo* hubieras dicho.

verbos de mandato, ruego, consejo y prohibición

No	quiero	que juegues al tenis.		Quise	que jugaras/jugases al tenis
	deseo			Deseé	
	te ordeno			Te ordené	
	te aconsejo			Te aconsejé	
	te recomiendo			Te recomendé	
	te pido			Te pedí	
	te ruego			Te rogué	
	te suplico			Te supliqué	
	te prohíbo			Te prohibí	
	te impido			Te impedí	

Lo presentado en este capítulo
se encuentra en **ESPAÑOL 2000,**

Nivel **superior:** pág. 162.

capítulo **VIII** *el verbo*

el verbo ser

— Expresa identidad o identifica algo o a alguien:

—¿Quién **es** usted?   —**Soy** Jesús.
—¿Qué **es** eso?   —**Es** una corbata.
—¿Cuál **es** Pedro?   —Pedro **es** el del centro.

— Expresa profesión, actividad o parentesco:

—¿Qué **es** Carlos?   —**Es** médico.
—¿Quién **es** tu hermano?   —**Es** el moderador del debate.
—¿Qué **son** esos dos?   —**Son** primos.

— Expresa nacionalidad, región o religión:

—¿De dónde **son** esas chicas?   —**Son** de Francia.
—¿De qué región **sois**?   —**Somos** de La Rioja.
—¿Cuál **es** tu religión?   —Mi religión **es** la evangelista.

— Expresa materia, origen:

—¿De qué **es** la bandeja?   —**Es** de cristal.
—¿De dónde **eres**?   —¿Yo? **Soy** de Madrid.

— Expresa posesión o pertenencia:

—¿De quién **es** el coche?   —**Es** de mi hijo.
—¿**Es** tuyo este abrigo?   —Sí, **es** mío.

— Expresa tiempo o cantidad:

—¿Qué hora **es**?   —**Es** la una y cuarto.
—¿**Es** pronto?   —No; **es** muy tarde.
—¿**Es** suficiente?   —Sí; yo creo que **es** bastante.

— Expresa número o precio:

—¿Cuántos **son**?   —**Somos** dos adultos y tres niños.
—¿Cuánto **es** esto?   —**Son** seiscientas diez pesetas.

— Expresa impersonalidad:

    —*Es difícil estudiar con música.*
    —*Es probable que nieve hoy.*

— Expresa acción:

    —*¿Dónde **es** la fiesta?*   —***Es** en el Paraninfo.*
    —*¿**Es** aquí la conferencia?*   —*Sí, aquí **es**.*

Conjugación

(yo)	*soy*	
(tú)	*eres*	*estudiante/médico/azafata.*
(él/ella)	*es*	
(nosotros/as)	*somos*	
(vosotros/as)	*sois*	*estudiantes/médicos/azafatas.*
(ellos/ellas)	*son*	

CORTESÍA

(usted)	*es*	*estudiante/médico/azafata.*
(ustedes)	*son*	*estudiantes/médicos/azafatas.*

> Generalmente, el pronombre personal sujeto no acompaña al verbo.

> Las formas **usted** y **ustedes** suelen acompañar al verbo.

La interrogación y la negación

*¿**Es** Carlos abogado?*

    AFIRMACIÓN: —*Sí, (él) **es** abogado.*
    NEGACIÓN: —*No, (él) **no es** abogado.*

> La negación en español va siempre delante del verbo.

Partículas interrogativas

¿QUÉ?	—*¿Qué **es** usted?* —***Soy** estudiante.*
	—*¿Qué **son** esos?* —***Son** médicos.*
	—*¿Qué **es** esto?* —***Es** un jardín.*
¿CUÁL?	—*¿Cuál de esos **es** tu coche?* —***Es** el más sucio.*
¿QUIÉN?	—*¿Quién **es** esa chica?* —***Es** la directora.*
¿QUIÉNES?	—*¿Quiénes **son** tus padres?* —***Son** los del fondo.*
¿DÓNDE?	—*¿Dónde **es** el banquete?* —***Es** arriba.*
¿DE DÓNDE?	—*¿De dónde **es** el whisky?* —***Es** de Escocia.*
¿CÓMO?	—*¿Cómo **es** el profesor?* —***Es** moreno y alto.*
	—*¿Cómo **es** esta ciudad?* —***Es** grande.*

el verbo estar

— Expresa situación física o temporal:

—*¿Dónde* **estás***?* —***Estoy*** *en el baño.*
—*¿A cuántos* **estamos***?* —***Estamos*** *a doce de abril.*

— Expresa provisionalidad:

—***Estamos*** *en Roma de viaje.*
—*Ese vestido no* **está** *de moda.*

— Expresa (con *bien, mal, regular,* etc.) estado físico o mental:

—*¿Cómo* **está** *el baile?* —***Está*** *regular.*
—*¿***Estás** *bien?* —*No;* **estoy** *fatal.*

— Expresa tiempo climatológico:

—***Está*** *nublado.*
—*No* **está** *demasiado lluvioso.*

— Expresa temporalidad.

—*El acto* **está** *al comienzo.*

— Con gerundio, sirve para construir la conjugación progresiva.

—*¿Qué hace el niño?* —***Está*** *jugando.*

Conjugación

(yo)	*estoy*	
(tú)	*estás*	*enfermo/a*
(él/ella)	*está*	
(nosotros/as)	*estamos*	
(vosotros/as)	*estás*	*enfermos/as*
(ellos/ellas)	*están*	

CORTESÍA:

(usted)	*está*	*enfermo/a*
(ustedes)	*están*	*enfermos/as*

> Generalmente, el pronombre personal sujeto no acompaña al verbo.

> Las formas *usted* y *ustedes* suelen acompañar al verbo.

La interrogación y la negación

—*¿***Está** *Elena en casa?*

AFIRMACIÓN: —*Sí,* **está** *con los niños.*
NEGACIÓN: —*No,* **está** *en la oficina.*

Partículas interrogativas

¿QUÉ?	—¿Qué **estás** haciendo?	—**Estoy** leyendo.
	—¿Con qué **está** Jorge?	—**Está** con el ordenador.
¿CUÁL?	—¿Cuál **está** terminado?	—Aquél **está** casi acabado.
¿QUIÉN?	—¿Quién **está** primero?	—**Está** esa señora.
¿QUIÉNES?	—¿Quiénes **están** en casa?	—**Están** Andrés y Juan.
¿DÓNDE?	—¿Dónde **está** mi café?	—**Está** sobre la mesa.
¿CÓMO?	—¿Cómo **está** el cuadro?	—**Está** sin enmarcar.

SER/ESTAR

SER

1. Cualidad:
   *La mesa **es** redonda.*
   *El cielo **es** azul.*
   *Juan **es** alto.*
   *Carmen **es** aburrida.*

2. Origen, procedencia:
   *Yo **soy** de Zaragoza.*
   *Esa porcelana **es** de China.*

3. Tiempo:
   *Hoy **es** miércoles, 3 de enero.*
   *Ahora **es** primavera.*
   *Ya **es** tarde.*

4. Posesión, pertenencia:
   *Ese coche **es** de Alberto.*
   *El libro **es** del profesor.*

5. Profesión:
   *Carlos **es** cirujano.*
   *¿**Es** usted estudiante?*

ESTAR

1. Estado físico o anímico:
   *La mesa **está** limpia.*
   *El cielo **está** gris.*
   *Juan **está** enfermo.*
   *Carmen **está** aburrida.*

2. Situación, lugar:
   *Yo **estoy** en Zaragoza.*
   *Esa porcelana **está** rota.*

3. Tiempo:
   *Hoy **estamos** a 3 de enero, miércoles.*
   *En Argentina **están** en primavera.*

Estructura de *ser/estar* + adjetivo + preposición

ser		estar	
	aficionado a		acostumbrado a
	apreciado por		agradecido por
	bueno para		contento/descontento con
	fácil/difícil de		enfermo de
	famoso por		harto de
	fiel/infiel a		libre de
	igual/parecido a		lleno/vacío de
	malo para		malo de
	pobre en		preocupado por
	posible/imposible de		seguro de
	rico en		triste por

construcciones con el verbo ser

Ser + **sustantivo** expresa realidad:

*Alberto **es ingeniero.***

Ser + **de** expresa origen o posesión:

*Blas **es de La Coruña.***
*El coche **es de César.***

Ser + **adverbio** expresa temporalidad:

*Es **muy temprano.***
*Ya **es tarde.***

Ser + **participio** corresponde a la formulación de la voz pasiva:

*El dinero **es administrado** por Damián.*

Ser + **adjetivo** expresa una realidad que tiende hacia el aspecto objetivo:

*Eulogio **es alto, moreno...***

Ser + **adjetivo clasificador** expresa nacionalidad, partido político, ideología, religión, clase social:

*Fermín **es español, liberal, agnóstico, burgués...***

Ser + **adjetivo verbal** expresa aficiones o características (provienen de derivación verbal):

*Gustavo es **emprendedor, dialogante, generoso...***

Ser + **adjetivo cualitativo** expresa cualidad o propiedad intrínseca, como nota definitoria del sujeto (cualidades físicas o morales, virtudes o vicios, forma física, color...):

*Ignacio es **caritativo, gordo, perezoso, rubio...***

construcciones con el verbo estar

Estar + **participio** expresa el resultado de una acción. Corresponde a la formulación de la pasiva de estado:

*Javier **está cansado.***
*El problema ya **está resuelto.***

Estar + **gerundio** expresa una acción en su desarrollo:

*Javier **está tocando** la guitarra.*

Estar + **adverbio** expresa una situación:

*Javier **está bien.***
*Javier **está debajo de** la escalera.*

Estar + *en* expresa ubicación:

> *Javier **está en** Talavera.*

Estar + *de* expresa temporalidad, puesto, función:

> *Javier **está de** regreso.*
> *Javier **está de** secretario.*
> *Javier **está de** titular.*

Estar + *a* expresa localización temporal:

> ***Estamos a** primeros de octubre.*

Estar + *hecho* (parecer) adquiere un sentido irónico, admirativo, exclamativo:

> *¡Menudo listo **estás** tú **hecho**!*
> *¡**Estás hecho** un artista!*
> *¡Este reloj **está hecho** un asco!*

Estar + **adjetivo calificativo** expresa una opinión:

> *Javier **está delgado**.*

Estar + **adjetivos de estado** expresa una condición física extrínseca o una situación psíquica:

> *Javier **está loco** por Marta.*
> *Javier **está sano**.*

Estar + **adjetivos** que expresan relaciones circunstanciales del sustantivo: indican espacio, tiempo, medida, norma, precio:

> *Los zapatos me **están grandes**.*
> *El estadio **está alejado**.*
> *Dicen que el jamón **está caro**.*

el verbo tener

PRESENTE DE INDICATIVO:			
(yo)	tengo		
(tú)	tienes		
(él, ella)	tiene	CORTESÍA:	
		(usted)	tiene
(nosotros/as)	tenemos	(ustedes)	tienen
(vosotros/as)	tenéis		
(ellos/ellas)	tienen		

el verbo hacer

	calor
	frío
	fresco
hoy **hace**	sol
	viento
	bueno/buen tiempo
	malo/mal tiempo

el verbo haber

	algunas personas
	bastante gente
Aquí **hay**	demasiado ruido
	excesivo humo
	mucha luz
	poco sitio

hay/está(n)

Aquí ahí allí	hay *un museo*	está *el museo*
	hay *una cafetería*	está *la cafetería*
	hay *mucho dinero*	está *el dinero*
	hay *dos abrigos*	están *vuestros abrigos*
	hay *mucha gente*	está *la gente*
	hay *muchos niños*	están *tus niños*
	hay *muchas personas*	están *esas personas*

Lo tratado en este capítulo se encuentra en **ESPAÑOL 2000,**

Nivel **elemental:** págs. 11, 28, 33, 35,
36, 44, 47, 55 y 61.
Nivel **medio**   : págs. 41, 155 y 156.

capítulo IX *el verbo*

el modo indicativo

En español, la *realidad* temporal se organiza en torno al pasado, presente y futuro. El tiempo desde el que se subraya esta realidad es el **presente,** que, a su vez, explica la existencia del **pasado** y del **futuro.**

Ayer	◄------------------ Hoy ------------------►	Mañana
PASADO	◄---------------- PRESENTE ---------------►	FUTURO

Los tiempos del **indicativo** se agrupan en formas *simples* y *compuestas.* La denominación de los tiempos simples es: *presente, pretérito indefinido, pretérito imperfecto, futuro imperfecto* y *condicional simple.*

Los tiempos compuestos se forman con el correspondiente tiempo simple del verbo auxiliar *haber,* más el participio pasado del verbo que se conjuga, y son: *pretérito perfecto, pretérito pluscuamperfecto, pretérito anterior, futuro perfecto* y *condicional compuesto.*

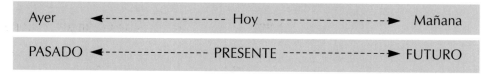

CANTAR:	PASADO	PRESENTE	FUTURO
	Cantaba		*Cantaré*
	Canté ⟶		
	Cantaría ⟶		
	Había cantado	*He cantado*	
	Habría cantado	*Habré cantado*	

presente de los verbos regulares en -ar

(yo)	*estudi-**o***	*habl-**o***	*doy*	*-o*
(tú)	*estudi-**as***	*habl-**as***	*das*	*-as*
(él/ella/usted)	*estudi-**a***	*habl-**a***	*da*	*-a*
(nosotros/as)	*estudi-**amos***	*habl-**amos***	*damos*	*-amos*
(vosotros/as)	*estudi-**áis***	*habl-**áis***	*dais*	*-áis*
(ellos/ellas/ustedes)	*estudi-**an***	*habl-**an***	*dan*	*-an*

> ayudar, contestar, estudiar, explicar, fumar, ganar,
> hablar, lavar, mandar, practicar, preguntar.

Verbos en *-ar* con diptongación

1. e → ie: 1.ª, 2.ª y 3.ª persona de singular; 3.ª persona de plural.

(yo)	*piens-o*	pensar, acertar, atravesar, calentar, comenzar, despertar, empezar, encerrar, gobernar, negar, sentar.
(tú)	*piens-as*	
(él/ella/usted)	*piens-a*	
(nosotros/as)	*pens-amos*	
(vosotros/as)	*pens-áis*	
(ellos/ellas/ustedes)	*piens-an*	

2. o → ue: 1.ª, 2.ª y 3.ª persona de singular; 3.ª persona de plural.

(yo)	*cuent-o*	contar, acordar, acostar, colgar, costar, demostrar, mostrar, recordar, rogar, sonar, volar.
(tú)	*cuent-as*	
(él/ella/usted)	*cuent-a*	
(nosotros/as)	*cont-amos*	
(vosotros/as)	*cont-áis*	
(ellos/ellas/ustedes)	*cuent-an*	

El verbo *gustar*

(a mí)	*me*		
(a ti)	*te*		*el teatro*
(a él/ella/usted)	*le*	*gusta(n)*	
(a nosotros/as)	*nos*		
(a vosotros/as)	*os*		*los animales*
(a ellos/ellas/ustedes)	*les*		

presente de los verbos regulares en -er

(yo)	*aprend-o*	*le-o*	*v-eo*	*-o*
(tú)	*aprend-es*	*le-es*	*v-es*	*-es*
(él/ella/usted)	*aprend-e*	*le-e*	*v-e*	*-e*
(nosotros/as)	*aprend-emos*	*le-emos*	*v-emos*	*-emos*
(vosotros/as)	*aprend-éis*	*le-éis*	*v-eis*	*-éis*
(ellos/ellas/ustedes)	*aprend-en*	*le-en*	*v-en*	*-en*

> *aprender, beber, comer, comprender, correr, esconder,*
> *leer, ver, vender.*

Verbos en *-er* con diptongación

1. e → ie: 1.ª, 2.ª y 3.ª persona de singular; 3.ª persona de plural.

(yo)	qu**ie**r-**o**	defender, encender, entender, perder, querer, tender.
(tú)	qu**ie**r-**es**	
(él/ella/usted)	qu**ie**r-**e**	
(nosotros/as)	quer-**emos**	
(vosotros/as)	quer-**éis**	
(ellos/ellas/ustedes)	qu**ie**r-**en**	

2. o → ue: 1.ª, 2.ª y 3.ª persona de singular; 3.ª persona de plural.

(yo)	v**ue**lv-**o**	devolver, doler, envolver, morder, oler, poder, soler, volver.
(tú)	v**ue**lv-**es**	
(él/ella/usted)	v**ue**lv-**e**	
(nosotros/as)	volv-**emos**	
(vosotros/as)	volv-**éis**	
(ellos/ellas/ustedes)	v**ue**lv-**en**	

Verbos en *-er* irregulares

	HACER	PONER	TENER	TRAER	SABER
(yo)	hago	pongo	tengo	traigo	sé
(tú)	haces	pones	tienes	traes	sabes
(él/ella/usted)	hace	pone	tiene	trae	sabe
(nosotros/as)	hacemos	ponemos	tenemos	traemos	sabemos
(vosotros/as)	hacéis	ponéis	tenéis	traéis	sabéis
(ellos/ellas/ustedes)	hacen	ponen	tienen	traen	saben

Verbos irregulares: c → zc (1.ª persona singular)

(yo)	cono**zc**o	conocer, crecer, conducir, introducir, obedecer, ofrecer, producir, traducir.
(tú)	conoces	
(él/ella/usted)	conoce	
(nosotros/as)	conocemos	
(vosotros/as)	conocéis	
(ellos/ellas/ustedes)	conocen	

presente de los verbos regulares en -ir

(yo)	abr-**o**	escrib-**o**	viv-**o**	-o
(tú)	abr-**es**	escrib-**es**	viv-**es**	-es
(él/ella/usted)	abr-**e**	escrib-**e**	viv-**e**	-e
(nosotros/as)	abr-**imos**	escrib-**imos**	viv-**imos**	-imos
(vosotros/as)	abr-**ís**	escrib-**ís**	viv-**ís**	-ís
(ellos/ellas/ustedes)	abr-**en**	escrib-**en**	viv-**en**	-en

> *abrir, cubrir, escribir, partir, recibir, subir, vivir.*

Verbos en *-ir* con cambio vocálico

1. e → i: 1.ª, 2.ª y 3.ª persona de singular; 3.ª persona de plural.

(yo)	*despid-o*
(tú)	*despid-es*
(él/ella/usted)	*despid-e*
(nosotros/as)	*desped-imos*
(vosotros/as)	*desped-ís*
(ellos/ellas/ustedes)	*despid-en*

> *corregir, despedir, medir, pedir, repetir, reír, servir, vestir.*

2. e → ie: 1.ª, 2.ª y 3.ª persona de singular; 3.ª persona de plural.

(yo)	*adviert-o*
(tú)	*adviert-es*
(él/ella/usted)	*adviert-e*
(nosotros/as)	*advert-imos*
(vosotros/as)	*advert-ís*
(ellos/ellas/ustedes)	*adviert-en*

> *advertir, consentir, convertir, divertir, preferir, resentir, revertir, sentir.*

3. o → ue: 1.ª, 2.ª y 3.ª persona de singular; 3.ª persona de plural.

(yo)	*duerm-o*	*muer-o*
(tú)	*duerm-es*	*muer-es*
(él/ella/usted)	*duerm-e*	*muer-e*
(nosotros/as)	*dorm-imos*	*mor-imos*
(vosotros/as)	*dorm-ís*	*mor-ís*
(ellos/ellas/ustedes)	*duerm-en*	*muer-en*

Verbos en *-ir* irregulares

	IR	OÍR	SALIR	VENIR	DECIR
(yo)	*voy*	*oigo*	*salgo*	*vengo*	*digo*
(tú)	*vas*	*oyes*	*sales*	*vienes*	*dices*
(él/ella/usted)	*va*	*oye*	*sale*	*viene*	*dice*
(nosotros/as)	*vamos*	*oímos*	*salimos*	*venimos*	*decimos*
(vosotros/as)	*vais*	*oís*	*salís*	*venís*	*decís*
(ellos/ellas/ustedes)	*van*	*oyen*	*salen*	*vienen*	*dicen*

NOTA:	**ir + a**	**salir + de**	**venir + de**
	voy a casa.	***Salgo de*** casa.	***Vengo de*** casa.

usos del presente

Con el modo indicativo expresamos hechos, bien afirmando, negando o preguntando, que ocurren, han ocurrido u ocurrirán en la realidad. La acción del verbo es real y no existe intervención subjetiva del hablante.

Presente: expresa un amplio intervalo de tiempo que precede y sigue al instante mismo del acto verbal. Es un tiempo absoluto e imperfecto, que denota coincidencia de la acción con el momento en que se habla:

> *Ahora estudio por las mañanas.*

- Presente actual: expresa la acción en relación con el momento de la palabra:

> *Desde que te conozco, hablamos de lo mismo.*

- Presente habitual: expresa la acción como usual y acostumbrada:

> *Por las noches ando siempre de discoteca en discoteca.*

- Presente gnómico: expresa máximas, definiciones, refranes, aforismos, etc., con validez fuera de todo límite temporal:

> *La Tierra es redonda.*
> *Más vale pájaro en mano, que ciento volando.*

- Presente por pasado: expresa actualización y mayor viveza de una acción pasada al acercar ficticiamente el tiempo pasado al actual. Se le denomina «presente histórico»:

> *Carlos I reina en 1530.*
> *Colón descubre América en 1492.*

- Presente de conato: expresa acción situada en el pasado que no llega a realizarse. Va precedido de las locuciones adverbiales: *por poco, a poco más, a poco, casi:*

> *Por poco me caigo.*

- Presente por futuro: expresa acción ampliada, con el fin de conseguir un acercamiento psíquico:

> *Mañana voy al campo a descansar.*

- En las expresiones interrogativas, cuando se pregunta por órdenes, decisiones, etcétera, que se han de realizar después, se emplea el presente con valor de futuro:

> *¿Qué hacemos ahora?*

- Expresa, con valor de mandato, situaciones no comenzadas que han de cumplirse en el futuro. Sustituye al imperativo:

  ¡Tú te callas!

- Se emplea, para expresar futuro, en la prótasis condicional:

  Si quieres, toma mi coche.

- En las oraciones condicionales, el presente de indicativo sustituye obligatoriamente al futuro en la oración subordinada. En la principal, en cambio, la sustitución es potestativa:

  Si te vas, me marcho (me marcharé) contigo.

Lo tratado en este capítulo se encuentra en **ESPAÑOL 2000,**

Nivel **elemental:** págs. 67, 69, 76, 77, 86, 87, 91 y 97.
Nivel **medio**   : pág. 182.

capítulo X *el verbo*

el pretérito imperfecto

Expresa: acción pasada e imperfecta cuyo principio y cuyo fin no nos interesan:

> *Cantaba extraordinariamente bien.*
> *En aquel momento no estaba en casa.*
> *Veníamos por el centro de la calle.*

— acción habitual y repetida en el pasado. Para ello puede ir acompañado de expresiones temporales: entonces, diariamente, en aquella época...

> *Tenía entonces la manía de los aviones.*
> *Leías diariamente toda la prensa.*
> *En aquel verano pescabas todas las tardes.*

— acción en desarrollo:

> *Teníamos entonces veinte años.*

verbos regulares en -ar, -er, -ir

	JUGAR	COMER	VIVIR
(yo)	*jug-**aba***	*com-**ía***	*viv-**ía***
(tú)	*jug-**abas***	*com-**ías***	*viv-**ías***
(él/ella/usted)	*jug-**aba***	*com-**ía***	*viv-**ía***
(nosotros/as)	*jug-**ábamos***	*com-**íamos***	*viv-**íamos***
(vosotros/as)	*jug-**abais***	*com-**íais***	*viv-**íais***
(ellos/ellas/ustedes)	*jug-**aban***	*com-**ían***	*viv-**ían***

verbos irregulares

	IR	SER
(yo)	*ib-**a***	*er-**a***
(tú)	*ib-**as***	*er-**as***
(él/ella/usted)	*ib-**a***	*er-**a***

			RECUERDE:
(nosotros/as)	íb-**amos**	ér-**amos**	
(vosotros/as)	ib-**ais**	er-**ais**	Ahora .... hay
(ellos/ellas/ustedes)	ib-**an**	er-**an**	Antes .... había

usos del pretérito imperfecto

Expresa una acción pasada inacabada. No señala ni el principio ni el fin de la acción.

- Imperfecto descriptivo: dado su carácter durativo, presenta rasgos ambientales, paisajes…

    *El pueblo **estaba** situado en lo alto de la colina, **era** pequeño y **blanqueaba** en todos sus rincones.*

- Expresa una acción simultánea a otra:

    ***Escuchaba** música mientras **veía** la televisión.*

- Expresa una acción continua cuando se realiza otra:

    Llovía** cuando **llegaron.

- Imperfecto de cortesía, tiene un marcado valor de presente:

    ***Quería** preguntar si…*
    *¿Qué **quería** usted?*

- Imperfecto de conato, cuando se desplaza hacia el futuro:

    *En este momento, **salía** para Barcelona.*

Usos más comunes

- Acción contemplada como durativa:

    *Cuando **éramos** jóvenes, sólo **queríamos** pasarlo bien.*

- Acciones repetitivas en el pasado:

    *Por las mañanas **iba** a una academia de idiomas.*

- Descripciones en el pasado:

    *Mi abuelo **tenía** el pelo blanco y **estaba** siempre de buen humor.*

el pretérito indefinido

Expresa la acción verbal como una unidad en el pasado. Es un tiempo pasado, absoluto y perfecto. No presta especial atención al inicio, al desarrollo ni a la culminación de la acción. Es el tiempo de la narración de lo acontecido en el pasado.

Lo característico de este tiempo es el punto o momento del pasado en que se consuma la perfección del acto.

El pretérito indefinido expresa:

- Acciones ocurridas en el pasado.
- Acciones no relacionadas con el presente.
- Acciones limitadas y cerradas en sí mismas.

*Antonio **habló** durante cinco minutos.*
*Antonio **habló** a las seis.*

La significación perfectiva y absoluta le confiere al pretérito indefinido un sentido implícito de negación:

***Pensé** que me habías olvidado.*

verbos regulares en -ar, -er, -ir

	LLAMAR	COMER	SALIR
(yo)	llam-**é**	com-**í**	sal-**í**
(tú)	llam-**aste**	com-**iste**	sal-**iste**
(él/ella/usted)	llam-**ó**	com-**ió**	sal-**ió**
(nosotros/as)	llam-**amos**	com-**imos**	sal-**imos**
(vosotros/as)	llam-**asteis**	com-**isteis**	sal-**isteis**
(ellos/ellas/ustedes)	llam-**aron**	com-**ieron**	sal-**ieron**

verbos irregulares

	DAR	DECIR	ESTAR	IR/SER
(yo)	*di*	*dije*	*estuve*	*fui*
(tú)	*diste*	*dijiste*	*estuviste*	*fuiste*
(él/ella/usted)	*dio*	*dijo*	*estuvo*	*fue*
(nosotros/as)	*dimos*	*dijimos*	*estuvimos*	*fuimos*
(vosotros/as)	*disteis*	*dijisteis*	*estuvisteis*	*fuisteis*
(ellos/ellas/ustedes)	*dieron*	*dijeron*	*estuvieron*	*fueron*

	PODER	PONER	TENER	VENIR
(yo)	*pude*	*puse*	*tuve*	*vine*
(tú)	*pudiste*	*pusiste*	*tuviste*	*viniste*
(él/ella/usted)	*pudo*	*puso*	*tuvo*	*vino*
(nosotros/as)	*pudimos*	*pusimos*	*tuvimos*	*vinimos*
(vosotros/as)	*pudisteis*	*pusisteis*	*tuvisteis*	*vinisteis*
(ellos/ellas/ustedes)	*pudieron*	*pusieron*	*tuvieron*	*vinieron*

pretéritos indefinidos irregulares

PRETÉRITOS FUERTES CON **i**	PRETÉRITOS FUERTES CON **J**	PRETÉRITOS FUERTES CON **U**
convenir: *convine*	conducir: *conduje*	andar: *anduve*
hacer : *hice*	decir : *dije*	caber: *cupe*
querer : *quise*	producir: *produje*	estar : *estuve*
venir : *vine*	reducir : *reduje*	haber: *hube*
	traer : *traje*	poder: *pude*
		poner: *puse*
		saber : *supe*
		tener : *tuve*

pretérito indefinido con cambio vocálico

1. **e → i,** excepto delante de **i** tónica:

ped-**í**	-í
ped-**iste**	-iste
p**i**d-**ió**	-ió
ped-**imos**	-imos
ped-**isteis**	-isteis
p**i**d-**ieron**	-ieron

corregir, elegir, impedir, medir, repetir, servir, seguir, vestir.

2. **o → u,** excepto delante de **i** tónica:

dorm-**í**	-í
dorm-**iste**	-iste
d**u**rm-**ió**	-ió
dorm-**imos**	-imos
dorm-**isteis**	-isteis
d**u**rm-**ieron**	-ieron

dormir, morir.

Verbos con vocal al final del radical

Toman **y**, excepto delante de **i** tónica:

le-**í**	cre-**í**	-í
le-**iste**	cre-**íste**	-iste
le**y**-**ó**	cre**y**-**ó**	-ó
le-**ímos**	cre-**ímos**	-imos
le-**ísteis**	cre-**ísteis**	-isteis
le**y**-**eron**	cre**y**-**eron**	-eron

caer, creer, construir, contribuir, destruir, leer, incluir, oír.

Formas irregulares:

Andar: *anduve, anduviste, anduvo, anduvimos, anduvisteis, anduvieron.*
Caber: *cupe, cupiste, cupo, cupimos, cupisteis, cupieron.*
Conducir: *conduje, condujiste, condujo, condujimos, condujisteis, condujeron.*
Decir: *dije, dijiste, dijo, dijimos, dijisteis, dijeron.*
Estar: *estuve, estuviste, estuvo, estuvimos, estuvisteis, estuvieron.*
Haber: *hube, hubiste, hubo, hubimos, hubisteis, hubieron.*
Hacer: *hice, hiciste, hizo, hicimos, hicisteis, hicieron.*
Ir/Ser: *fui, fuiste, fue, fuimos, fuisteis, fueron.*
Poder: *pude, pudiste, pudo, pudimos, pudisteis, pudieron.*
Poner: *puse, pusiste, puso, pusimos, pusisteis, pusieron.*
Querer: *quise, quisiste, quiso, quisimos, quisisteis, quisieron.*
Traer: *traje, trajiste, trajo, trajimos, trajisteis, trajeron.*
Tener: *tuve, tuviste, tuvo, tuvimos, tuvisteis, tuvieron.*
Venir: *vine, viniste, vino, vinimos, vinisteis, vinieron.*

NOTA: Debe huirse de la incorrección, muy extendida, consistente en añadir una **s** a la segunda persona de singular:

* *estuvistes, hicistes, oístes.*

---

usos del pretérito indefinido

Se utiliza para expresar:

- Acción cerrada:

    *Cuando **terminó** la televisión, nos **fuimos** a dormir.*

- Acción única en el pasado:

    *A Carmen la **conocí** en una discoteca.*

usos de los tiempos imperfecto/indefinido

IMPERFECTO	INDEFINIDO
1. Acción durativa (contemplada como durativa):	1. Acción cerrada (contemplada como concluida en el pasado)
*De pequeño sólo **pensaba** en jugar.*	*Al terminar me **fui** a casa.*
2. Acciones repetitivas en el pasado:	2. Acción única en el pasado:
*Se **levantaba** todos los días a las ocho, **desayunaba** y se **iba**.*	*Mi abuela **murió** en 1958.*

3. Descripciones en el pasado:

>   Mi abuelo **era** alto, delgado y calvo.

usos de los tiempos indefinido/perfecto

INDEFINIDO

Expresa acciones concluidas en el pasado, que está separado del presente:

>   Ayer **estuve** en el teatro.
>   La semana pasada **tuve** mucho trabajo.
>   Anoche **llovió** mucho.

PERFECTO

Expresa acciones concluidas en el pasado, que se prolongan hasta el presente:

>   Hoy **he estado** en el teatro.
>   Esta semana **he tenido** mucho trabajo.
>   Esta noche **ha llovido** mucho.
>   Hasta el momento no **hemos recibido** contestación.
>   La fiesta **ha terminado** ahora mismo.

La conjunción *cuando:* imperfecto-indefinido

IMPERFECTO

Acción pasada contemplada como durativa, sin especificar principio ni fin de la acción:

>   Cuando **era** joven, sólo **pensaba** en divertirme.

INDEFINIDO

Acción pasada contemplada como realizada en un punto determinado del pasado:

>   Cuando **terminé** el trabajo, me **fui** a casa.

>   Cuando me **estaba** duchando, **sonó** el teléfono.

el futuro imperfecto

Expresa acción venidera y absoluta, independiente de cualquier otra:

>   El coche **llegará** en su momento.

Entre sus valores, destacan los de duración, puntualidad, imperatividad, cortesía y probabilidad:

>   Jamás se **lanzará** en paracaídas.
>   El jueves se **levantará** a las siete.
>   **Amarás** a Dios sobre todas las cosas.
>   ¿Me **adelantará** los gastos?
>   Esta casa **valdrá** muchos millones.

verbos regulares en -ar, -er, -ir

	COMPRAR	SER	IR	
(yo)	comprar-**é**	ser-**é**	ir-**é**	**-é**
(tú)	comprar-**ás**	ser-**ás**	ir-**ás**	**-as**
(él/ella/usted)	comprar-**á**	ser-**á**	ir-**á**	**-á**
(nosotros/as)	comprar-**emos**	ser-**emos**	ir-**emos**	**-emos**
(vosotros/as)	comprar-**éis**	ser-**éis**	ir-**éis**	**-éis**
(ellos/ellas/ustedes)	comprar-**án**	ser-**án**	ir-**án**	**-án**

verbos irregulares en -ar, -er, -ir

	HACER	DECIR	VENIR	TENER
(yo)	har-**é**	dir-**é**	vendr-**é**	tendr-**é**
(tú)	har-**ás**	dir-**ás**	vendr-**ás**	tendr-**ás**
(él/ella/usted)	har-**á**	dir-**á**	vendr-**á**	tendr-**á**
(nosotros/as)	har-**emos**	dir-**emos**	vendr-**emos**	tendr-**emos**
(vosotros/as)	har-**éis**	dir-**éis**	vendr-**éis**	tendr-**éis**
(ellos/ellas/ustedes)	har-**án**	dir-**án**	vendr-**án**	tendr-**án**

verbos irregulares

caber	: *cabr-*	querer	: *querr-*		**-é**
decir	: *dir-*	saber	: *sabr-*		**-ás**
haber	: *habr-*	salir	: *saldr-*		**-á**
hacer	: *har-*	tener	: *tendr-*		**-emos**
poder	: *podr-*	valer	: *valdr-*		**-éis**
poner	: *pondr-*	venir	: *vendr-*		**-án**

usos del futuro imperfecto

Expresa una acción futura independiente de cualquier otra:

*Mañana **iré** al cine con Matilde.*

En la segunda persona puede sustituir al imperativo, con valor modal obligatorio:

*No **matarás**.*
*¡**Harás** lo que te ordene!*

Expresa probabilidad cuando se emplea en relación con el presente y le acompaña la interrogación:

*¿**Podrá** darme hora para las cinco?*

Se utiliza en perífrasis que pueden suplir al futuro y que, a la vez, aña-den matizaciones modales: *Haber de* + infinitivo; *deber* + infinito; *ir a* + in-finitivo:

> **Habremos de** madrugar para llegar al tren.
> **Deberemos** estar allí a las ocho.
> **Iréis a** verle en cuanto lleguéis.

presente/futuro imperfecto

El presente se utiliza para hablar de una acción futura cuando se pre-tende un mayor interés y un mayor grado de participación:

> Mañana nos **vamos** a Santander.
> Seguramente **está** ahora en casa.

El futuro se emplea para expresar una probabilidad en un tiempo pre-sente:

> Seguramente **estará** ahora en casa.

el condicional simple

Por su carácter de futuro, es un *futuro del pasado:* la acción que expresa es siempre eventual o hipotética, se refiere a una acción futura en relación con el pasado:

> Me ha asegurado que **vendría** mañana.
> **Habría** en el estadio unas veinte mil personas.

verbos regulares en -ar, -er, -ir

El condicional simple se forma con el radical del futuro + las desinencias **ía, ías, ía, íamos, íais, ían.**

	COMPRAR	SER	IR	
(yo)	comprar-**ía**	ser-**ía**	ir-**ía**	**-ía**
(tú)	comprar-**ías**	ser-**ías**	ir-**ías**	**-ías**
(él/ella/usted)	comprar-**ía**	ser-**ía**	ir-**ía**	**-ía**
(nosotros/as)	comprar-**íamos**	ser-**íamos**	ir-**íamos**	**-íamos**
(vosotros/as)	comprar-**íais**	ser-**íais**	ir-**íais**	**-íais**
(ellos/ellas/ustedes)	comprar-**ían**	ser-**ían**	ir-**ían**	**-ían**

verbos irregulares

caber : *cabr-*	poner : *pondr-*	**-ía**
decir : *dir-*	querer : *querr-*	**-ías**
haber : *habr-*	tener : *tendr-*	**-ía**
hacer : *har-*	valer : *valdr-*	**-íamos**
poder : *podr-*	venir : *vendr-*	**-íais**
		-ían

usos del condicional simple

Se trata de un tiempo relativo, ya que su presencia implica siempre la aparición de un tiempo pasado:

- Expresa acciones originadas en el pasado, pero orientadas hacia el futuro. Es el *futuro del pasado*:

    *Aseguraron que **estudiarían** el asunto.*

- Expresa probabilidad referida al pasado:

    ***Serían** las once cuando llegaron a casa.*

- Expresa cortesía referido al presente:

    *¿**Tendría** una habitación doble con baño?*

El condicional es tiempo empleado, como su nombre indica, en la apódosis de las oraciones condicionales. En ellas, la indicación del tiempo que se expresa depende de la estructura oracional:

*Si Juan se dedicara a los negocios, ya **sería** millonario.*

Lo tratado en este capítulo se encuentra en **ESPAÑOL 2000,**

Nivel **elemental:** págs. 155, 162, 169, 180, 182, 183, 214, 215, 217, 229, 230 y 239.

Nivel **medio** : págs. 12, 13, 49, 183 y 189.

XI *el verbo*

tiempos compuestos del indicativo

El **Pretérito perfecto** indica acción pasada y perfecta, aunque guarda relación con el presente:

*Este mes **he ahorrado** poco.*

Se emplea también para expresar acciones alejadas del presente, pero cuyas consecuencias duran todavía:

*Mis padres **han hecho** mucho por mí.*

El **Pretérito pluscuamperfecto** expresa una acción pasada y perfecta, anterior a otra acción también pasada:

*Cuando tú llegaste, ya **había salido** de viaje.*

PASADO	PRESENTE	FUTURO
Pretérito Pluscuamperfecto	Pretérito perfecto → Condicional compuesto →	Futuro perfecto →

El **Pretérito anterior** indica acción pasada inmediatamente anterior a otra acción también pasada:

*Cuando **hubo acabado**, pidió la cuenta.*

El **Futuro perfecto** es un tiempo perfecto y relativo, que expresa acción venidera anterior a otra también venidera:

*Cuando llames, ya **habré resuelto** el problema.*

El **Condicional compuesto** indica futuro en el pasado, pero enuncia el hecho como terminado o perfecto:

*El profesor dijo que para el verano ya **habría acabado** el libro.*

pretérito perfecto: formación y usos

Este tiempo se forma con el presente del verbo *haber* y el participio de perfecto del verbo conjugado:

(yo)	*he*	
(tú)	*has*	
(él/ella/usted)	*ha*	*cantado* *perdido* *salido*
(nosotros/as)	*hemos*	
(vosotros/as)	*habéis*	
(ellos/ellas/ustedes)	*han*	

Hoy por la mañana, tarde, noche...
Esta mañana, tarde, noche...
Este mes, fin de semana, curso... } + pretérito perfecto: **He estudiado** *mucho.*

Aún
Todavía } + pretérito perfecto:
Ya

—¿**Ha salido** *el tren?*
—*No, aún no* **ha salido.**
—*No, todavía no* **ha salido.**
—*Sí, ya* **ha salido.**

Usos del perfecto

a. Acción acabada en un pasado asociado al presente:

Hoy **ha llovido** *torrencialmente.*

b. Se usa con las expresiones temporales: *hoy, hasta ahora, esta mañana, esta semana, este mes, por el momento...*

Esta mañana **he estado** *en el Rastro.*
Por el momento no **han aparecido.**

estar + participio de perfecto

Estar
Quedar } + Participio de perfecto:
Seguir
Tener

La puerta **está cerrada.**
La puerta **queda** *bien* **cerrada.**
La puerta **sigue cerrada.**
La casa **tiene cerrada** *la puerta.*

En estas construcciones el participio de perfecto concuerda con el sustantivo en género y número:

El coche **está aparcado.**
Tengo *una costilla* **rota.**

Los coches **están aparcados.**
Tengo *tres costillas* **rotas.**

pretérito pluscuamperfecto: usos y formación

Este tiempo se forma con el pretérito imperfecto del verbo *haber* y el participio de perfecto del verbo conjugado:

(yo)	*había*			
(tú)	*habías*			
(él/ella/usted)	*había*	*cantado*	*perdido*	*salido*
(nosotros/as)	*habíamos*			
(vosotros/as)	*habíais*			
(ellos/ellas/ustedes)	*habían*			

Expresa acción pasada, acabada en un momento dado del pasado:

*Cuando le hospitalizaron, ya se **había curado.***

futuro perfecto: formación y usos

Se forma con el futuro imperfecto del verbo *haber* y el participio de perfecto del verbo conjugado:

(yo)	*habré*			
(tú)	*habrás*			
(él/ella/usted)	*habrá*	*cantado*	*perdido*	*salido*
(nosotros/as)	*habremos*			
(vosotros/as)	*habréis*			
(ellos/ellas/ustedes)	*habrán*			

Usos:

a. Acción futura que ya habrá acabado en un momento dado del futuro:

*Cuando llegues, ya **habré preparado** la comida.*

b. Para expresar probabilidad de una acción terminada en el pasado:

*Ellos ya **habrán llegado** a casa.*

condicional compuesto

Este tiempo se forma con el condicional simple del verbo *haber* y el participio de perfecto del verbo conjugado:

(yo)	*habría*			
(tú)	*habrías*			
(él/ella/usted)	*habría*	*cantado*	*perdido*	*salido*
(nosotros/as)	*habríamos*			
(vosotros/as)	*habríais*			
(ellos/ellas/ustedes)	*habrían*			

Expresa una acción futura respecto de un pasado, pero como resultado de una condición o de una hipótesis:

Dijo que para cuando llegásemos, ya **habría terminado.**

pretérito pluscuamperfecto/pretérito anterior

- **Pretérito pluscuamperfecto:** expresa anterioridad con relación a otra acción también pasada:

    Cuando llegaron, ya **habían terminado.**

- **Pretérito anterior:** expresa una acción pasada inmediatamente anterior a la otra, también pasada:

    Cuando **hubo terminado,** *se marchó.*

— Cuando el tiempo transcurrido entre las acciones es corto, empleamos: *enseguida que, luego que, apenas:*

    Apenas **había cenado,** *se acostó.*

— **El pretérito anterior** se utiliza muy poco en la expresión oral porque con los adverbios o locuciones adverbiales, *apenas, en cuanto, tan pronto como,* etc., queda neutralizado por el uso del pretérito pluscuamperfecto:

    Tan pronto como **había/hubo anochecido,** *nos fuimos a cenar.*

pretérito indefinido/pretérito perfecto

- **Pretérito indefinido:** expresa una acción completamente realizada. No hay ninguna relación con el hablante-presente:

    Ayer, hace un año, anoche, una vez, el año pasado, la semana pasada, **estuve** *en París.*
    Ayer **estudié** *mucho.*
    Anoche **llovió** *mucho.*

- **Pretérito perfecto:** expresa una acción realizada en una unidad de tiempo que guarda relación con el hablante-presente:

    Siempre, este año, aún, todavía, esta semana, hoy, ahora.
    Hoy **he estudiado** *mucho.*
    Esta noche **ha llovido** *mucho.*

- Cuando el tiempo psicológico es preponderante, puede sustituirse el pretérito indefinido por el pretérito perfecto y viceversa:

    ¡Ya **acabé** *el trabajo!* (hoy).
    Mi madre **ha muerto** *el mes pasado.*

La conjunción *cuando* + indefinido + pluscuamperfecto

Cuando llegó la policía, los ladrones *habían huido.*
Cuando salimos del cine, *había dejado* de llover.

futuro perfecto/condicional compuesto

- **Futuro perfecto:** expresa acción concluida en el futuro, anterior, a su vez, a otra acción futura:

  *Cuando os despertéis, ya **habremos pasado** la sierra.*

  Expresa la sorpresa o la probabilidad de una acción terminada en el pasado:

  *Supongo que **habrán arreglado** el televisor.*
  *No te **habrás gastado** todo ese dinero ¿verdad?*

- **Condicional compuesto:** expresa acción futura respecto al pasado, pero anterior a otra acción:

  *Le dije que cuando recibiera el libro, ya **habría transcurrido** un mes.*

  Expresa probabilidad en el pasado, pero indicando que la acción está concluida:

  *Por aquellas fechas, ya **habría expuesto** alguna vez.*

  Expresa una condición no realizada si se combina con el pretérito pluscuamperfecto de subjuntivo:

  *Si hubieras llegado a tiempo, **habrías participado** en el juego.*

Lo expuesto en este capítulo se encuentra en **ESPAÑOL 2000,**

Nivel **elemental:** págs. 191, 192, 194, 197, 204, 205 y 242.
Nivel **medio**   : págs. 14, 15, 17, 57, 190, 191 y 192.

el modo imperativo

Responde a la *función apelativa* del lenguaje y expresa exhortación, mandato o ruego, dirigidos a otra persona. Sirve, por tanto, para llamar la atención del interlocutor:

> ¡Jesús, **ven** aquí!
> ¡**Seguidme** todos!

El imperativo únicamente presenta dos formas propiamente dichas, que responden a la segunda persona, tanto del singular como del plural. Para las demás personas se usan las formas correspondientes del presente de subjuntivo.

Forma afirmativa

    a. **De confianza:** *Calla* (tú)
                          Callad (vosotros)
    b. **De respeto:** *Calle* (usted)
                          Callen (ustedes)

En las formas afirmativas, las únicas formas exclusivas del imperativo son las de segunda persona en el trato de confianza. En el trato de respeto, las formas utilizadas responden a las del subjuntivo.

Forma negativa

En las oraciones negativas, la exhortación, mandato o ruego se expresan en su totalidad mediante el presente de subjuntivo:

> *No calléis.*

Cuando las formas del imperativo van acompañadas de pronombres átonos, la lengua exige que vayan pospuestos:

> *¡Levántate! ¡Idos!*

112

En la lengua actual, el imperativo de respeto suele sustituirse por fórmulas como:

> *¿Quiere(n) usted(es) decirme la hora?*
> *¿Me dice(n), por favor, la hora?*
> *¿Sería(n) tan amable(s) de decirme qué hora es?*

También se ha extendido el uso vulgar del infinitivo en lugar del imperativo:

> * ***Abrir*** *el libro por la página ciento dos.*
> * ***Estaros*** *calladitos mientras yo hablo.*

Sí sería correcto el empleo del infinitivo precedido de la preposición **a**, con valor de mandato o de exhortación.

> *¡**A callar** todo el mundo!*

El imperativo se presenta en la forma del presente. Pero, en sentido estricto, su valor es siempre de futuro, puesto que la orden, mandato, ruego o exhortación que inciden en el interlocutor, siempre habrán de cumplirse con posterioridad a la formulación de la frase:

> ***Devuélveme*** *el coche, por favor.*
> ***Deje*** *ahí encima los cuadernos.*

El imperativo nunca puede tener valor de pretérito, puesto que no tiene sentido emitir una orden o exhortación para su ejecución en el pasado.

el imperativo

	FORMA AFIRMATIVA			FORMA NEGATIVA		
-ar	*toma*	(tú)		no *tom-es*	(tú)	
	tome	(usted)	*el autobús*	no *tom-e*	(usted)	*el autobús*
	tomad	(vosotros/as)		no *tom-éis*	(vosotros/as)	
	tomen	(ustedes)		no *tom-en*	(ustedes)	
-er	*come*	(tú)		no *com-as*	(tú)	
	coma	(usted)	*pan*	no *com-a*	(usted)	*pan*
	comed	(vosotros/as)		no *com-áis*	(vosotros/as)	
	coman	(ustedes)		no *com-an*	(ustedes)	
-ir	*sube*	(tú)		no *sub-as*	(tú)	
	suba	(usted)	*las escaleras*	no *sub-a*	(usted)	*las escaleras*
	subid	(vosotros/as)		no *sub-áis*	(vosotros/as)	
	suban	(ustedes)		no *sub-an*	(ustedes)	

imperativos irregulares

FORMA AFIRMATIVA

Decir	Ir	Hacer	Oír	Poner	Ser	Salir	Tener	Traer	Venir	
di	*ve*	*haz*	*oye*	*pon*	*sé*	*sal*	*ten*	*trae*	*ven*	(tú)
diga	*vaya*	*haga*	*oiga*	*ponga*	*sea*	*salga*	*tenga*	*traiga*	*venga*	(usted)
decid	*id*	*haced*	*oíd*	*poned*	*sed*	*salid*	*tened*	*traed*	*venid*	(vosotros/as)
digan	*vayan*	*hagan*	*oigan*	*pongan*	*sean*	*salgan*	*tengan*	*traigan*	*vengan*	(ustedes)

FORMA NEGATIVA

no *digas*	*vayas*	*hagas*	*oigas*	*pongas*	*seas*	*salgas*	*tengas*	*traigas*	*vengas*	(tú)
no *diga*	*vaya*	*haga*	*oiga*	*ponga*	*sea*	*salga*	*tenga*	*traiga*	*venga*	(usted)
no *digáis*	*vayáis*	*hagáis*	*oigáis*	*pongáis*	*seáis*	*salgáis*	*tengáis*	*traigáis*	*vengáis*	(vosotros/as)
no *digan*	*vayan*	*hagan*	*oigan*	*pongan*	*sean*	*salgan*	*tengan*	*traigan*	*vengan*	(ustedes)

imperativo de los verbos con cambio vocálico

Los verbos con cambio vocálico en el presente de indicativo también lo tienen en el imperativo (excepto la segunda persona del plural).

acostar(se)	cerrar	dormir	empezar	encender	mostrar	pedir	repetir	seguir
acuésta(te)	*cierra*	*duerme*	*empieza*	*enciende*	*muestra*	*pide*	*repite*	*sigue*
acuéste(se)	*cierre*	*duerma*	*empiece*	*encienda*	*muestre*	*pida*	*repita*	*siga*
acosta(os)	*cerrad*	*dormid*	*empezad*	*enceded*	*mostrad*	*pedid*	*repetid*	*seguid*
acuésten(se)	*cierren*	*duerman*	*empiecen*	*enciendan*	*muestren*	*pidan*	*repitan*	*sigan*

usos del imperativo

- Expresa ruego, mandato, intensificación de la exhortación.

    ¡**Salid** de aquí!   ¡**Cantad** todos conmigo!

- Las formas de la primera persona del plural y tercera del singular y plural, aunque expresan órdenes, no pertenecen al imperativo, sino al presente del subjuntivo:

    ¡Salgamos!   *¡Empecemos!*
    ¡Salga Ud.!   *¡Empiece usted!*
    ¡Salgan Uds.!   *¡Empiecen ustedes!*

- No tiene primera persona del singular.

- En la negación, el imperativo utiliza las formas del presente de subjuntivo:

    ¡Salid!   *¡No salgáis!*

- El infinitivo precedido de la preposición **a** adquiere valor de imperativo:

    ¡A salir!   *¡A callar!*

- No es correcto usar el infinitivo en lugar del imperativo:

    * *¡Venir aquí!* → *¡Venid aquí!*

imperativo + pronombre personal

FORMA AFIRMATIVA

Compra **el libro** ⟶ Cómpra**lo**
Saludad **a Juan** ⟶ Saludad**lo**
Da**me la llave** ⟶ Dá**mela**
Láva**te las manos** ⟶ Láva**telas**

FORMA NEGATIVA

No compres **el libro** ⟶ No **lo** compres
No saludéis **a Juan** ⟶ No **lo** saludéis
No me des **la llave** ⟶ No **me la** des
No te laves **las manos** ⟶ No **te las** laves

NOTA: Senta**d** + **os** ⟶ Senta-**os**
   Marcha**d** + **os** ⟶ Marcha-**os**   Excepto **IR**: Id**os**/ir**os**
   Lava**d** + **os** las manos ⟶ Lavá-**oslas**

Lo tratado en este capítulo se encuentra en **ESPAÑOL 2000,**

Nivel **elemental:** págs. 118, 122 y 130.
Nivel **medio**   : pág. 206.

el modo subjuntivo

- Expresa la participación subjetiva del hablante. Es el modo de la irrealidad frente al indicativo que manifiesta la realidad.
- Los tiempos del subjuntivo suelen ir subordinados, integrados en oraciones compuestas:

  Quizá me llamen hoy.
  Afirmó que quizá me llamen hoy.

- Empleamos el subjuntivo si queremos expresar: duda, deseo, incertidumbre, emociones, sentimientos, ruego, exhortación:

  Dudo de que venga.
  No temas.
  Vaya con atención.

- Empleamos el subjuntivo tras la expresión de un verbo de voluntad o deseo seguido de *que* enunciativo o de la interjección *ojalá:*

  Quiero que comas.
  ¡Ojalá se marche!

presente de subjuntivo de los verbos regulares en -ar, -er, -ir

	-ar	-er	-ir
(yo)	estudi-**e**	beb-**a**	abr-**a**
(tú)	estudi-**es**	beb-**as**	abr-**as**
(él/ella/usted)	estudi-**e**	beb-**a**	abr-**a**
(nosotros/as)	estudi-**emos**	beb-**amos**	abr-**amos**
(vosotros/as)	estudi-**éis**	beb-**áis**	abr-**áis**
(ellos/ellas/ustedes)	estudi-**en**	beb-**an**	abr-**an**

Vocal característica: e   a   a

Recuerde: *Quizá/tal vez*
Posiblemente/probablemente   + subjuntivo
Ojalá

Tal vez **venga.**   *Posiblemente* **llueva.**   *Ojalá* **ganéis.**

verbos irregulares

	DAR	ESTAR	HABER	IR	SABER	SER
(yo)	dé	esté	haya	vaya	sepa	sea
(tú)	dés	estés	hayas	vayas	sepas	seas
(él/ella/usted)	dé	esté	haya	vaya	sepa	sea
(nosotros/as)	demos	estemos	hayamos	vayamos	sepamos	seamos
(vosotros/as)	deis	estéis	hayáis	vayáis	sepáis	seáis
(ellos/ellas/ustedes)	den	estén	hayan	vayan	sepan	sean

Los verbos con primera persona irregular en el presente de indicativo forman el presente de subjuntivo a partir de ella:

$$hacer \ : \ hag\text{-}o \longrightarrow hag\text{-}a$$
$$tener \ : \ teng\text{-}o \longrightarrow teng\text{-}a$$
$$salir \ : \ salg\text{-}o \longrightarrow salg\text{-}a$$

verbos con diptongación

1. Verbos en **-ar**

e → ie: 1.ª, 2.ª y 3.ª persona de singular; 3.ª persona de plural.

(yo)	ac-**ier**t-**e**
(tú)	ac-**ier**t-**es**
(él/ella/usted)	ac-**ier**t-**e**
(nosotros/as)	ac-ert-**emos**
(vosotros/as)	ac-ert-**éis**
(ellos/ellas/ustedes)	ac-**ier**t-**en**

> acertar, calentar, encerrar, negar, pensar, sentar

o → ue: 1.ª, 2.ª y 3.ª persona de singular; 3.ª persona de plural.

(yo)	ac-**uer**d-**e**
(tú)	ac-**uer**d-**es**
(él/ella/usted)	ac-**uer**d-**e**
(nosotros/as)	ac-ord-**emos**
(vosotros/as)	ac-ord-**éis**
(ellos/ellas/ustedes)	ac-**uer**d-**en**

> acordar, acostar, colgar, contar, demostrar, mover

2. Verbos en **-er**

e → ie: 1.ª, 2.ª y 3.ª persona de singular; 3.ª persona de plural.

(yo)	qu-**ier**-**a**
(tú)	qu-**ier**-**as**
(él/ella/usted)	qu-**ier**-**a**
(nosotros/as)	qu-er-**amo**s
(vosotros/as)	qu-er-**áis**
(ellos/ellas/ustedes)	qu-**ier**-**an**

> atender, defender, descender, encender, perder, querer

o → ue: 1.ª, 2.ª y 3.ª persona de singular; 3.ª persona de plural.

(yo)	v-*ue*lv-**a**
(tú)	v-*ue*lv-**as**
(él/ella/usted)	v-*ue*lv-**a**
(nosotros/as)	v-olv-**amos**
(vosotros/as)	v-olv-**áis**
(ellos/ellas/ustedes)	v-*ue*lv-**an**

> *devolver, doler, morder, mover, resolver, volver*

3. Verbos en **-ir**

e → ie: 1.ª, 2.ª y 3.ª persona de singular; 3.ª persona de plural.

(yo)	s-*ie*nt-**a**
(tú)	s-*ie*nt-**as**
(él/ella/usted)	s-*ie*nt-**a**
(nosotros/as)	s-int-**amos**
(vosotros/as)	s-int-**áis**
(ellos/ellas/ustedes)	s-*ie*nt-**an**

> *advertir, consentir, divertir, presentir, preferir, sentir*

e → i: 1.ª, 2.ª y 3.ª persona de singular; 1.ª, 2.ª y 3.ª persona de plural.

(yo)	s-*i*rv-**a**
(tú)	s-*i*rv-**as**
(él/ella/usted)	s-*i*rv-**a**
(nosotros/as)	s-*i*rv-**amos**
(vosotros/as)	s-*i*rv-**áis**
(ellos/ellas/ustedes)	s-*i*rv-**an**

> *medir, pedir, repetir, vestir, servir*

expresiones que rigen subjuntivo

Es conveniente *Es importante* *Es improbable* *Es incierto* *Es interesante* *Es necesario* *Es posible/probable*	que + subjuntivo

---

APRENDA: *Creo que* + indicativo   : *Creo que* **viene** *en este tren.*
                 No creo que + subjuntivo : *No creo que* **venga** *en este tren.*

Verbos que rigen subjuntivo

aconsejar, agradecer, alegrarse de, *no creer, desear, decir, dejar, dudar,* *esperar, extrañarse de, lamentar,* *mandar, ordenar, pedir, permitir,* *prohibir, querer, recomendar, rogar,* *sentir, sugerir, suplicar, temer*	que + subjuntivo

Expresiones + subjuntivo

A no ser que
Como no sea que   } + subjuntivo
Con tal de que
Siempre que

Con tal de   + infinitivo

conjunciones + subjuntivo

Antes (de) que, aunque, cuando, después (de) que, hasta que, mientras que, para que, sin que, tan pronto como:

> *Nos levantaremos **antes (de) que** salga el sol.*
> ***Aunque** llueva, iremos a pescar.*
> ***Cuando** tenga dinero, me compraré un coche.*
> ***Después (de) que** escriba la carta, la echaré al correo.*
> *Esperamos **hasta que** llegue el autobús.*
> ***Mientras (que) haya** nieve, las pistas estarán abiertas.*
> *Te lo aviso **para que** estés prevenido.*
> *No me iré **sin que** me den una explicación.*
> ***Tan pronto como** salgan las listas, te avisaré.*

Estas conjunciones, con la excepción de *antes (de) que, para que* y *sin que,* también rigen indicativo. Cuando es así, indican que la acción ya se ha realizado o se realiza en el presente. Cuando rigen subjuntivo, expresan una acción hipotética o futura.

Pronombre relativo + subjuntivo

Que + presente de subjuntivo → expresa deseo o condición:

> *Quiero una habitación **que tenga** vistas al mar.*

Que + presente de indicativo → describe una realidad:

> *Me han dado una habitación **que tiene** vistas al mar.*

pretérito imperfecto de subjuntivo de los verbos regulares en -ar, -er, -ir

	-ar	-er	ir
(yo)	*cant-**ara/ase***	*tem-**iera/iese***	*part-**iera/iese***
(tú)	*cant-**aras/ases***	*tem-**ieras/ieses***	*part-**ieras/ieses***

(él/ella/usted)	cant-**ara/ase**	tem-**iera/iese**	part-**iera/iese**
(nosotros/as)	cant-**áramos/ásemos**	tem-**iéramos/iésemos**	part-**iéramos/iésemos**
(vosotros/as)	cant-**arais/aseis**	tem-**ierais/ieseis**	part-**ierais/ieseis**
(ellos/ellas/ustedes)	cant-**aran/asen**	tem-**ieran/iesen**	part-**ieran/iesen**

El pretérito imperfecto se forma a partir de la 3.ª persona de plural del pretérito indefinido:

$$cantar\text{-}(on) \longrightarrow cantara/se$$
$$temier\text{-}(on) \longrightarrow temiera/se$$
$$partier\text{-}(on) \longrightarrow partiera/se$$

pretérito imperfecto de los verbos irregulares

DECIR:	Dij-**era/ese**		LEER:	Ley-**era/ese**
CREER:	Crey-**era/ese**		PEDIR:	Pid-**iera/iese**
DORMIR:	Durm-**iera/iese**		SABER:	Sup-**iera/iese**
ESTAR:	Estuv-**iera/iese**		SER:	Fue-**era/ese**
HACER:	Hic-**iera/iese**		TENER:	Tuv-**iera/iese**
IR:	Fue-**era/ese**		VENIR:	Vin-**iera/iese**

pretérito perfecto de subjuntivo

Se forma añadiendo al presente de subjuntivo de *haber* el participio de perfecto del verbo que se conjuga:

(yo)	haya			
(tú)	hayas			
(él/ella/usted)	haya	**-ar**	**-er**	**-ir**
(nosotros/as)	hayamos	cantado,	perdido,	salido
(vosotros/as)	hayáis			
(ellos/ellas/ustedes)	hayan			

pretérito pluscuamperfecto de subjuntivo

Se forma añadiendo al imperfecto de subjuntivo de *haber* el participio de perfecto del verbo que se conjuga:

(yo)	hubiera/ese			
(tú)	hubieras/eses			
(él/ella/usted)	hubiera/ese	**-ar**	**-er**	**-ir**
(nosotros/as)	hubiéramos/ésemos	solucionado,	leído,	salido
(vosotros/as)	hubierais/eseis			
(ellos/ellas/ustedes)	hubieran/esen			

uso del presente de subjuntivo

- Expresa tiempo presente y futuro.

  *Espero que te **quedes.***
  *Es posible que **vaya** mañana a tu casa.*

- Las formas del presente, precedidas del adverbio **no,** toman valor de mandato.

  No **vengas.**
  No **creas** que eres el único.

- Las formas de primera persona del plural y tercera del singular y del plural se utilizan también como formas del imperativo.

  *¡**Vengan** todos!*

uso del pretérito imperfecto de subjuntivo

- Temporalmente puede indicar presente, pasado y futuro, dentro de unos límites muy amplios:

  *En este momento, si no te **comprara** caramelos, te enfadarías.*

- Con los verbos *querer, deber* y *poder* toma el valor de cortesía:

  ***Quisiera** pedirle un favor.*

- La aparición del imperfecto depende de la forma del verbo principal:

  Me aconsejaron que estudiara.
  Me aconsejaban que estudiara.
  Me aconsejarían que viniera.
  Me habían aconsejado que viniera.

Imperfecto para expresar un deseo

Me gustaría
Desearía
Preferiría
Querría/Quisiera
$\left.\right\}$ + *que* + imperfecto de subjuntivo

*Me **gustaría** que **vinieras** con nosotros de excursión.*

uso del pretérito perfecto y del pluscuamperfecto de subjuntivo

El pretérito perfecto de subjuntivo expresa una acción acabada, realizada en un tiempo pasado o futuro:

*Siento mucho que Luis **haya perdido** el reloj.*
*Avísame cuando **hayas terminado** de leer el libro.*

El pretérito pluscuamperfecto indica acción acabada, realizada en un tiempo pasado para el hablante:

*Si **hubiera tomado** ese avión, habría muerto en el accidente.*

El empleo del perfecto o del pluscuamperfecto depende de la forma del verbo principal:

*No creo que **haya llegado** a tiempo.*
*No creía que **hubiera/ese llegado** a tiempo.*

correspondencia del indicativo con el subjuntivo

INDICATIVO			SUBJUNTIVO
	llegan en este tren. *llegarán en este tren.*		***lleguen** en este tren.*
Creo que	*ha ganado tu equipo.* *habrá ganado tu equipo.*	*No creo que*	***haya ganado** tu equipo.*
	el concierto acabó pronto.		*el concierto **acabara/se** pronto.*
Creía que	*estabais todos en el club.* *estaríais todos en el club.*	*No creía que*	***estuvierais/seis** todos en el club.*
Creí que	*había salido el sol.* *habría salido el sol.*	*No creí que*	***hubiera/ese** salido el sol.*

Lo expuesto en este capítulo se encuentra en **ESPAÑOL 2000,**

Nivel **elemental:** págs. 249, 250, 252 y 253.
Nivel **medio**   : págs. 24, 25, 26, 28, 35, 36, 37, 38, 46, 57, 63, 96, 198, 199, 200 y 201.

XIV *el verbo*

formas no personales del verbo

Las formas no personales del verbo (**infinitivo, gerundio** y **participio**) son formas de la flexión verbal desprovistas de los morfemas verbales de *número* y *persona*.

El **infinitivo** es la forma no personal que adopta el verbo para funcionar como sustantivo:

> ***Ganar*** *siempre es posible.*

El **gerundio** es la forma no personal que el verbo adopta para funcionar como adverbio:

> *Me escapé **corriendo** de allí.*

El **participio** es la forma no personal que adopta el verbo para funcionar como adjetivo:

> *Antonio, **sorprendido,** no supo qué decir.*

En cuanto al matiz de tiempo expresado por cada uno, el **infinitivo** expresa *totalidad*; el **gerundio** indica *tiempo imperfecto*; el **participio** denota *perfección*.

el infinitivo: usos y valores

El infinitivo presenta dos formas: simple y compuesta.

-ar	**-er**	**-ir**
Cantar, haber cantado.	*Temer, haber temido.*	*Partir, haber partido.*

Puede lexicalizarse como sustantivo: *querer, deber, andar…* admiten morfema de plural: *quereres, deberes, andares…* Y por eso mismo, desempeña en la oración las mismas funciones que competen al sustantivo:

> *Jorge está haciendo sus **deberes**.*
> *María tiene unos **andares** muy garbosos.*
> *El **dormir** demasiado no es bueno.*

El infinitivo admite artículos, demostrativos, posesivos, así como adjetivos calificativos y otros complementos nominales:

> **El saber** no ocupa lugar.
> Recordemos **aquel cantar** que dice...
> Este hombre se caracteriza por **su buen hacer.**

Puede ir acompañado de pronombres enclíticos:

> Quiere comprar**le** un piso.
> No debes poner**te** así.

Valores

- El infinitivo expresa la significación global del verbo.
- Por su terminación, indica la conjugación a la que el verbo pertenece:

  1.ª Acab-**ar**   2.ª Permanec-**er**   3.ª Dirig-**ir**

- Cuando va acompañado de pronominales átonos, éstos se posponen:

  > ¡Habér-**me**-lo dicho!
  > No quiero tenér-**se-lo** que repetir.

- Con la preposición **a** antepuesta, tiene valor de imperativo:

  > ¡**A callar** todo el mundo!

- Forma parte de gran número de perífrasis:

  > Esto es para **echarse** a temblar.
  > A ti te toca **ir a** comprar el pan.

- *Al* + infinitivo adquiere sentido temporal: equivale a *cuando* + la forma verbal correspondiente:

  > **Al llegar** a Toledo, empezó a llover.
  > (Cuando llegábamos a Toledo...)

- *Por* + infinitivo adopta sentido causal:

  > **Por ir** tan deprisa, no los he visto.
  > (No los he visto porque iba tan deprisa).

- De + infinitivo tiene el valor de una condición:

  > **De seguir** así, vamos a fracasar.
  > (Si seguimos así...)

- El infinitivo compuesto (*haber* + participio) expresa acción acabada, pero no en relación con un tiempo determinado:

De **haber sabido** que venías, no me habría ido.
No me importa **haber corrido** tanto.

Otros valores del infinitivo

- **Temporal:**   *Antes de acostarme*, me lavo los dientes.
  Al irse, notaron que les faltaba algo.
  Tras hablar con él, tomé una decisión.

- **Final:**   Hago deporte *para conservarme* en forma.
  Por no verle, soy capaz de cualquier cosa.

- **Causal:**   Ha faltado a clase *por encontrarse* enfermo.

- **Consecutivo:** De *tanto cantar,* te has quedado sin voz.

gerundio: valores y usos

El gerundio presenta dos formas: simple y compuesta.

-ar	-er
Cantando, habiendo cantado	*Comiendo, habiendo comido*

-ir
Saliendo, habiendo salido

En su forma simple expresa una acción durativa en coincidencia temporal con el verbo de la oración principal:

> Se gana la vida **trabajando** día y noche.

En su forma compuesta expresa acción acabada, anterior a la del verbo de la oración principal:

> **Habiendo acabado** la clase, se fueron todos a su casa.

Se considera inadecuado el empleo del gerundio para indicar posterioridad:

> * Montaron en el coche, **dirigiéndose** al concierto.
> Montaron en el coche y se dirigieron al concierto.

No se trata de oraciones simultáneas o coincidentes, por lo que las acciones deben tener una secuencia temporal. En una sucesión de acontecimientos, el gerundio nunca puede expresar el acontecimiento posterior.
El gerundio destaca, también, por su función adverbial:

> Podemos pasar el rato **charlando**.
> Se han ido a casa **corriendo**.

En esta forma adverbial, puede llevar sufijos diminutivos:

> *Me marché andand**ito**.*
> *Entrad callan**dito**, que está dormida.*

Cuando va acompañado de un pronominal átono (complemento directo o indirecto), éste se pospone:

> *Entró saludándo**nos** con mucho respeto.*
> *Lleva una hora haciéndo**les** burla.*

Otros valores del gerundio

- **Temporal:**   ***Viniendo** hacia aquí, me he encontrado con Ángel.*
- **Condicional:** ***Hablando** idiomas, no vas a tener problemas.*
  *No esperes un premio **comportándote** así.*
- **Causal:**   ***Vistiendo** con tanta elegancia, nos dejó sorprendidos.*
- **Concesivo:** *La situación no cambia, aun **estando** tú allí.*

formas del gerundio con cambio vocálico

a. Los verbos en **-ir** con cambio vocálico en el presente, cambian también en el gerundio: **e → i; o → u**:

de**c**ir	: *di**c**iendo*	re**g**ir	: *ri**g**iendo*
di**v**ertir	: *divirtiendo*	ser**v**ir	: *sirviendo*
pe**d**ir	: *pidiendo*	do**r**mir	: *durmiendo*
pref**er**ir	: *prefiriendo*	mo**r**ir	: *muriendo*
po**d**er	: *pudiendo*		

b. Muchos verbos cuyo radical acaba en vocal, hacen el gerundio en -*yendo*:

ca-er	: *ca-yendo*	le-er	: *le-yendo*
constru-ir	: *constru-yendo*	o-ír	: *o-yendo*
hu-ir	: *hu-yendo*	ro-er	: *ro-yendo*
ir	: *yendo*	tra-er	: *tra-yendo*

gerundio + pronombres personales y reflexivos

1. *Está esperando el **autobús**.*
   a. ***Lo** está esperando.*
   b. *Está esperándo**lo**.*

2. *El profesor está explicando la **lección** a los **alumnos**.*
   a. ***Se la** está explicando.*
   b. *Está explicándo**sela**.*

3. *Juan **se** está lavando las **manos**.* a. ***Se las** está lavando.*
                                              b. *Está lavándo**selas**.*

el participio: usos y valores

A diferencia del infinitivo y del gerundio, el participio tiene formas distintas para concertar en género y número con el sustantivo a que se refiere:

*Estafad**or** condenad**o***   *Estafador**as** condenad**as***

La forma del participio sirve para formar, con el verbo *haber,* los tiempos compuestos de la conjugación activa. Entonces es invariable:

*Jesús ha estudiad**o** bien; María ha estudiad**o** bien; ambos han estudiad**o** bien.*

Sirve también para formar los tiempos de la voz pasiva, con el verbo *ser.* En este caso, el participio concuerda en número y género con el sujeto de la voz pasiva:

*Este sonet**o** fue escrit**o** por Góngora.*
*Estos sonet**os** fueron escrit**os** por Quevedo.*

Al ser un adjetivo verbal, puede desempeñar en la oración las funciones propias del adjetivo:

— complemento predicativo referido al sujeto:

Los atletas llegaron agotados.

— Complemento predicativo referido al complemento directo:

Creo que tengo merecida una recompensa.

Otros valores del participio

- **Temporal:** *Acabada la película, la sala se fue vaciando.*
- **Causal:**   *Tomada esta decisión, mi opinión ya no interesa.*

Las formas en *-ante, -ente* o *-iente* responden al participio de presente. Algunos de ellos funcionan normalmente como sustantivos:

estudiante, presidente, dependiente, carburante.

formas irregulares en el participio

	-er			**-ir**	
hacer	:	*hecho*	abrir	:	*abierto*
poner	:	*puesto*	cubrir	:	*cubierto*
resolver	:	*resuelto*	decir	:	*dicho*
romper	:	*roto*	descubrir	:	*descubierto*
ver	:	*visto*	escribir	:	*escrito*
volver	:	*vuelto*	morir	:	*muerto*

(yo)	*he*
(tú)	*has*
(él/ella/usted)	*ha*
(nosotros/as)	*hemos*
(vosotros/as)	*habéis*
(ellos/ellas/ustedes)	*han*

hecho, abierto, puesto, cubierto, resuelto, etc.

verbos con dos participios

Infinitivo	Participio regular	Participio irregular
abstraer	*abstraído*	*abstracto*
afligir	*afligido*	*aflicto*
atender	*atendido*	*atento*
bendecir	*bendecido*	*bendito*
circuncidar	*circuncidado*	*circunciso*
comprimir	*comprimido*	*compreso*
concluir	*concluido*	*concluso*
confesar	*confesado*	*confeso*
confundir	*confundido*	*confuso*
convencer	*convencido*	*convicto*
convertir	*convertido*	*converso*
corregir	*corregido*	*correcto*
corromper	*corrompido*	*corrupto*
despertar	*despertado*	*despierto*
difundir	*difundido*	*difuso*
elegir	*elegido*	*electo*
excluir	*excluido*	*excluso*
eximir	*eximido*	*exento*
expresar	*expresado*	*expreso*
extender	*extendido*	*extenso*
fijar	*fijado*	*fijo*
freír	*freído*	*frito*
hartar	*hartado*	*harto*
imprimir	*imprimido*	*impreso*
incluir	*incluido*	*incluso*
infundir	*infundido*	*infuso*
insertar	*insertado*	*inserto*
invertir	*invertido*	*inverso*
juntar	*juntado*	*junto*
maldecir	*maldecido*	*maldito*

Infinitivo	Participio regular	Participio irregular
manifestar	*manifestado*	*manifiesto*
oprimir	*oprimido*	*opreso*
poseer	*poseído*	*poseso*
prender	*prendido*	*preso*
presumir	*presumido*	*presunto*
proveer	*proveído*	*provisto*
recluir	*recluido*	*recluso*
salvar	*salvado*	*salvo*
soltar	*soltado*	*suelto*
sujetar	*sujetado*	*sujeto*
suspender	*suspendido*	*suspenso*
sustituir	*sustituido*	*sustituto*
torcer	*torcido*	*tuerto*

Lo tratado en este capítulo se encuentra en **ESPAÑOL 2000,**

Nivel **elemental:** págs. 95, 96, 194 y 220.

Nivel **medio**   : págs. 15, 85, 165, 166, 167 y 177.

XV *las perífrasis verbales*

las perífrasis verbales

Se llama perífrasis verbal a la concurrencia de dos formas verbales, destinadas a expresar un contenido informativo distinto de la mera suma de los contenidos informativos de cada una de las formas verbales.

Los dos elementos constituyentes de la perífrasis no tienen la misma función ni la misma forma: Uno de ellos, invariable en cuanto a la flexión verbal, aporta el contenido léxico: el significado. El otro, variable, aporta los morfemas de *persona, número, tiempo* y *modo,* y es llamado *auxiliar.* En esta función pierde su significado propio.

La estructura general de la perífrasis puede representarse así:

VERBO AUXILIAR	NEXO	FORMAS NO PERSONALES
Forma flexiva	— Cualquier preposición — La conjugación **que**	— Infinitivo — Gerundio — Participio

Las perífrasis con **infinitivo** indican el principio de la acción. Es una acción dirigida hacia el futuro, que no se mide desde el momento presente del habla, sino desde el tiempo en que se halla el verbo auxiliar:

Voy a jugar al tenis.

Las perífrasis con **gerundio** indican el desarrollo de la acción. Presentan un sentido general de acción durativa:

Estoy jugando al tenis.

Las perífrasis con **participio** indican el término de la acción. Se caracterizan por poseer un significado perfectivo:

Tengo pensado jugar al tenis.

El verbo que desempeña la función de auxiliar en una perífrasis pierde parcial o totalmente su significado propio:

El niño rompió a llorar.

Verbos modales

Se denominan modales los verbos que, sin formar perífrasis en sentido estricto, se unen a un infinitivo para añadirle una modificación que indica la actitud del hablante.

Los principales verbos modales son:

deber   poder   querer   saber   soler
*Los deportistas **suelen conocer** las dificultades de la prueba.*

Perífrasis y formas pronominales átonas

- En las perífrasis con infinitivo, las formas pronominales átonas, en general, se posponen a la forma no personal del verbo:

  *Voy a explicar**te** la lección de hoy.*

- En las perífrasis con gerundio, se posponen a la forma no personal:

  *Hace rato que estoy esperándo**te**.*

- En las perífrasis con participio, la forma átona precede al verbo auxiliar:

  ***Me** dijo que está prohibido hacer declaraciones.*

verbo auxiliar + infinitivo

Tienen carácter progresivo: *Voy a salir.*
Iba a salir.
Tendré que salir.

La acción de *salir* es siempre futura en relación con el verbo auxiliar, aunque el concepto verbal en su totalidad sea presente, pasado o futuro.

Ir a Echar a Ponerse a Romper a	+ infinitivo: acción que comienza.	*Voy a matricularme en Ciencias* *El tren ha echado a andar ya.* *Ahora mismo te pones a barrer.* *Han roto a aplaudir.*
Venir a Deber de	+ infinitivo: expresión aproximativa.	*Viene a costar unas cien pesetas.* *Ésa debe de ser su hija.*
Llegar a Acabar de Dejar de	+ infinitivo: expresión perfectiva.	*Han llegado a insultarse.* *Acabo de enterarme de todo.* *Ayer dejó de emitir en onda media.*

$$\left.\begin{array}{l}\textit{Haber de}\\\textit{Haber que}\\\textit{Tener que}\\\textit{Deber}\end{array}\right\}\text{+ infinitivo: expresión de obligación.}$$

He de rellenar este impreso.	
Hay que avisarles enseguida.	
Tienes que presentarte allí.	
Deben pagar sus impuestos.	

Ir a + infinitivo

(yo)	*voy a*	cenar	*a un restaurante.*
(tú)	*vas a*	bailar	*a alguna discoteca.*
(él/ella/usted)	*va a*	nadar	*a la piscina.*
(nosotros/as)	*vamos a*	visitar	*a nuestros amigos.*
(vosotros/as)	*vais a*	veranear	*a Cantabria.*
(ellos/ellas/ustedes)	*van a*	saludar	*a sus invitados.*

Tener que / haber que / deber + infinitivo

	OBLIGACIÓN	OBLIGACIÓN MENOR, CONSEJO	
(yo)	*tengo que*	*debo*	
(tú)	*tienes que*	*debes*	
(él/ella/usted)	*tiene que*	*debe*	*estudiar para el examen.*
(nosotros/as)	*tenemos que*	*debemos*	
(vosotros/as)	*tenéis que*	*debéis*	
(ellos/ellas/ustedes)	*tienen que*	*deben*	

OBLIGACIÓN MÁS IMPERSONAL: *Hay que estudiar para el examen.*

verbo auxiliar + gerundio

Tiene carácter de acción durativa.

a. *Estar* + gerundio

Con verbos de acción no momentánea, realza la noción durativa o denota progreso de una acción habitual:

Carmen está mirando el escaparate.

Con verbos de acción momentánea, introduce sentido reiterativo:

El niño ha estado besando a su madre.

b. *Ir / venir / andar* + gerundio

Añaden a la duración del gerundio las ideas de movimiento, iniciación y progreso de la acción:

Voy recopilando el material para mi libro.
Vengo observando que haces bien tu trabajo.
Ando buscando fotos de paisajes.

c.   **Seguir + gerundio**

Expresa explícitamente continuidad en la acción:

Sigo pensando que te has precipitado.

estar + gerundio

PRESENTE

(yo)	estoy			
(tú)	estás	**-ar**	**-er**	**-ir**
(él/ella/usted)	está	-ANDO	-IENDO	-IENDO
(nosotros/as)	estamos			
(vosotros/as)	estáis	trabaj-ando	com-iendo	escrib-iendo
(ellos/ellas/ustedes)	están			

PRETÉRITO IMPERFECTO

(yo)	estaba			
(tú)	estabas	**-ar**	**-er**	**-ir**
(él/ella/usted)	estaba	-ANDO	-IENDO	-IENDO
(nosotros/as)	estábamos			
(vosotros/as)	estabais	esper-ando	corr-iendo	sub-iendo
(ellos/ellas/ustedes)	estaban			

FUTURO IMPERFECTO

(yo)	estaré			
(tú)	estarás	**-ar**	**-er**	**-ir**
(él/ella/usted)	estará	-ANDO	-IENDO	-IENDO
(nosotros/as)	estaremos			
(vosotros/as)	estaréis	lleg-ando	hac-iendo	vin-iendo
(ellos/ellas/ustedes)	estarán			

verbos modales + gerundio

Acabar		*Acabamos cenando en la cafetería.*
Andar		*Anduve buscando un aparcamiento.*
Continuar		*Veo que continúas trabajando aquí.*
Empezar		*Empezó recogiendo papeles viejos.*
Estar	+ gerundio	*Estáis dando un espectáculo lamentable.*
Ir		*Van llegando poco a poco a la meta.*
Llevar		*Llevo conduciendo seis horas seguidas.*
Seguir		*Sigue bailando hasta que acabe el disco.*
Venir		*¿Qué has venido haciendo hasta ahora?*
Terminar		*Terminaréis hablando de política.*

verbo auxiliar + participio

- Expresa acción terminada:

    He pensado no presentarme al examen.

- *Haber* + participio forma los tiempos compuestos de la conjugación. En esta perífrasis el participio aparece siempre en masculino singular:

    Todas las alumnas han salido de viaje.

- Con otros verbos distintos a *haber,* el participio mantiene la concordancia con el complemento directo:

    Tengo preparada la respuesta.
    Llevo andados muchos caminos.

- Con *ser* y *estar,* el participio concuerda con el sujeto:

    Sus palabras fueron muy aplaudidas.
    Aquí el oso está protegido.

formas perifrásticas más frecuentes

SIGNIFICACIÓN PROGRESIVA:	PRINCIPIATIVA:	**comenzar** **echar** **empezar** **ir**	**a** + infinitivo: *Podéis comenzar a jugar. Voy a escribir.*
		pasar	*El tren va a llegar. Paso a contestar su carta.*
		ponerse	*Empiezo a cansarme. Es para echarse a reír.*
	TERMINATIVA:	**venir a** + infinitivo:	*Espero que venga a buscarnos. Vengo a conocerte, Luis.*
	APROXIMATIVA:	**venir a** + infinitivo:	*Este libro viene a decir lo mismo.* *Mi moto viene a costar un millón.*
	REITERATIVA:	**volver a** + infinitivo:	*Habrá que volver a empezar. No lo volverá a hacer.*

		haber de + infinitivo:
		He de acercarme *al colegio.*
	OBLIGATIVA:	**haber que** + infinitivo:
		Cuando te pones así, hay que fastidiarse.
		tener que + infinitivo:
		Tenemos que considerar *su situación.*
		Tendrás que llamar *la atención a tus alumnos.*
SIGNIFICACIÓN PROGRESIVA:	HIPOTÉTICA:	**deber de** + infinitivo:
		Anoche debían de ser *las doce cuando llegaste.*
	PONDERATIVA:	**llegar a** + infinitivo:
		Isabel ha llegado a decirme *que me desprecia.*
	SOCIAL CUALITATIVA:	**acabar de** + infinitivo:
		La película acababa de empezar *cuando me llamó.*
		Álvaro se acaba de ir *a su casa.*

SIGNIFICACIÓN DURATIVA:

estar + gerundio:
> Estamos llegando *a las últimas consecuencias.*

ir + gerundio:
> *Puedes* ir recogiendo *tus cosas; nos vamos.*

venir + gerundio:
> *Esto te lo* vengo advirtiendo *hace tiempo.*

seguir + gerundio:
> ¿Sigues pensando *que Marcos te engaña?*

andar + gerundio:
> *Por ahí* andan diciendo *que vas a dimitir.*

Lo expuesto en este capítulo se encuentra en **ESPAÑOL 2000,**

SIGNIFICACIÓN PERFECTIVA:

venir a + infinitivo:
> *María* viene a contarnos *lo que ha pasado.*

acabar de + infinitivo:
> *No* acabo de entender *lo que pretendes.*

llegar a + infinitivo:
> *Hemos* llegado a sospechar *de todos ellos.*

alcanzar a + infinitivo:
> *Algún día* alcanzarán a ver *la verdad.*

llevar + participio:
> *Arancha* lleva jugados *siete partidos.*

tener + participio:
> *Para este examen* tengo estudiado *todo el libro.*

traer + participio:
> Traigo *la camisa* empapada *por la lluvia.*

estar + participio:
> *Mi amigo* está interesado *en hablar con usted.*

ser + participio:
> *Los turistas* han sido tratados *a cuerpo de rey.*

quedar + participio:
> *Todos los que copien,* quedarán expulsados *del examen.*

XVI de la conjugación pasiva y de la impersonalidad

la voz pasiva y la impersonalidad

La voz pasiva

Las perífrasis verbales *ser* + participio y *estar* + participio forman, en principio, construcciones de significado pasivo, en las que el sujeto no es agente, sino receptor de la acción verbal:

> *La lección es explicada por el profesor.*
> *El problema está solucionado.*

Voz pasiva con *ser*

Presenta la estructura siguiente:

Tiempo correspondiente del auxiliar *ser*	+	Participio pasado del verbo conjugado

En dicha construcción el sujeto paciente concuerda en género y número con la forma del participio:

> *El puerto fue coronado por todos los ciclistas.*
> *Los terroristas han sido capturados por la policía.*

Pasiva con *se*

La pasiva *refleja* presenta el esquema siguiente:

se	+	Verbo transitivo en tercera persona (singular o plural)

> *Este drama se escribió en 1946.*
> *En septiembre se vendieron casi todos los pisos.*

La pasiva refleja con *se* sustituye en la lengua hablada a la pasiva con *ser* cuando ésta no tiene agente humano expreso y su sujeto paciente es de cosa:

> *Se muestra el esquema.*

la voz pasiva: ser + participio perfecto

Presente: *El ministro es recibido por las autoridades.*
Futuro: *El congreso será clausurado por el presidente.*
P. imperfecto: *La orquesta era dirigida por un pianista.*
P. indefinido: *El partido fue arbitrado por un colegiado holandés.*
P. perfecto: *La exposición ha sido patrocinada por varios bancos.*
P. pluscuamp.: *El avión había sido secuestrado por un terrorista.*

El participio de perfecto concuerda en género y número con el sujeto paciente:

El ministro ha inaugurado la exposición.
La exposición ha sido inaugurada por el ministro.

La oposición criticó los planes del gobierno.
Los planes del gobierno fueron criticados por la oposición.

El agente aparece, normalmente, precedido por la preposición *por*:

Los faraones construyeron las pirámides.
Las pirámides fueron construidas por los faraones.

Pasiva refleja

Se forma con *se* + verbo conjugado en 3.ª persona (singular o plural) de la voz activa:

Se alquila habitación.   *Se alquilan habitaciones.*
La bebida se agotó.   *Las bebidas se agotaron.*
Se solucionará el problema.   *Se solucionarán los problemas.*

Esta construcción no debe crear confusión con el pronombre reflexivo *se,* ni con la forma *se* impersonal:

Se habla inglés. (impersonal)   *La puerta se abre sola.* (reflexivo)

Pasiva de estado

Se forma con el tiempo correspondiente del verbo *estar* + participio de perfecto del verbo conjugado:

	VOZ PASIVA	PASIVA EN ESTADO
Presente	El problema **es** solucionado.	El problema **está** solucionado.
P. imperfecto	El problema **era** solucionado.	El problema **estaba** solucionado.
P. indefinido	El problema **fue** solucionado.	El problema **estuvo** solucionado.

P. perfecto	El problema **ha sido** solucionado.	El problema **ha estado** solucionado.
P. pluscuamp.	El problema **había sido** solucionado.	El problema **había estado** solucionado.
Futuro	El problema **será** solucionado.	El problema **estará** solucionado.

la voz pasiva y sus posibles sustituciones

1. Cuando la frase tiene por sujeto un nombre de cosa, el español, en vez de la pasiva con **ser**, prefiere la pasiva refleja con **se**:

    Ha sido *vendido todo el trigo*   *Se ha vendido todo el trigo.*

2. Si el verbo pasivo está en infinitivo, se le puede sustituir por el nombre abstracto correspondiente:

    Me duele ser despreciado *por ti*   *Me duele* tu desprecio.

3. También puede sustituirse el participio pasivo por un sustantivo, conservando el verbo **ser,** aunque cambie el tiempo:

    El libro ha sido escrito *por mí*   *Yo soy* el autor *del libro.*

Formas impersonales

1. Los verbos que indican fenómenos atmosféricos se conjugan en 3.ª persona de singular: *llueve, nieva, truena, graniza, diluvia;* hace *frío, calor, sol, viento…;* hay *nieve, niebla…*

2. *Se* + 3.ª persona de singular. (Forma impersonal para ocultar el sujeto.)

    En este restaurante **se come** *muy bien.*
    Se rumorea *que no va a salir elegido.*

3. Verbo en 3.ª persona de plural. (Forma impersonal para ocultar el sujeto.)

    Decían *que iba a dimitir de su cargo.*
    Durante la guerra, según **cuentan,** *había mucha miseria.*

4. Verbo en 2.ª persona (singular o plural):

    Aquí, por mucho que **estudies***, no* **apruebas.**
    Lo **tenéis** *delante y no lo* **creéis.**

5. Verbo en primera persona de plural:

    Hemos *avanzado mucho en prestaciones sociales.*

6. Verbos hacer, haber, gramaticalizados:

> *Hace* *años que no te veía.*
> *Hay* *que tener mucho cuidado.*

7. Palabras imprecisas, tales como *la gente, uno, mi menda...*

> *Llega un momento en que* **uno** *no sabe qué hacer.*
> *La gente* *ya no se conforma con cualquier cosa.*

la construcción impersonal con se

Además de los procedimientos ya vistos (verbos en tercera persona, empleo de palabras como uno, gente, alguien, etc.) en español se utilizan:

a. *Se* + verbo en 3.ª persona de singular + complemento verbal:

> *Aquí se vive bien.*
> *En verano se trabaja menos.*

b. *Se* + verbo transitivo en 3.ª persona singular + objeto directo de cosa:

> *Se traspasa este local.*

c. *Se* + verbo transitivo en 3.ª persona de singular + complemento directo de persona (que, normalmente, lleva la preposición **a**):

> *Se detuvo al delincuente.*
> *Se operará a este enfermo.*

d. *Se* + verbo transitivo en 3.ª persona de singular + oración subordinada sustantiva:

> *Se ve que tienes hambre todavía.*
> *Se rumorea que le ha tocado la lotería.*

Lo tratado en este capítulo se encuentra en **ESPAÑOL 2000,**

Nivel **medio**   : págs. 79, 80, 81 y 84.
Nivel **superior** : pág. 144.

XVII el artículo

el artículo

El artículo se antepone a cualquier palabra que tenga carácter sustantivo para indicar su género y su número. Puede ser *determinado* o *indeterminado*.

El artículo determinado se antepone al sustantivo para limitar la extensión de su significado, y para indicar que lo señalado es específico o conocido para el hablante y para el oyente:

> *He dejado **el** coche delante de **la** cafetería.*
> ***Los** niños se han comido **las** galletas.*

El artículo indeterminado indica que el sustantivo al que acompaña es indiferente o desconocido para el hablante y para el oyente:

> *Con un café y una tostada, tengo suficiente.*
> *Vi unos caballos con unas manchas marrones.*

formas del artículo

ARTICULO DETERMINADO	MASCULINO	FEMENINO	NEUTRO
Singular	el	la	lo
Plural	los	las	—
ARTICULO INDETERMINADO			
Singular	un	una	—
Plural	unos	unas	—

Contracción del artículo

El artículo determinado, en masculino singular, admite las contracciones con las preposiciones **a** y **de**:

$$a + el = al \qquad de + el = del$$

Tanto el artículo determinado como el indeterminado concuerdan en género y número con el sustantivo al que acompañan:

un libro	*unos* libros	*una* mesa	*unas* mesas
el disco	*los* discos	*la* máquina	*las* máquinas

El artículo determinado *la* se transforma en *el* ante sustantivos femeninos que empiezan por **a** o **ha** tónicas, en singular:

el alma	*el* agua	*el* hacha	*el* habla

En plural no hay cambio:

las almas	*las* aguas	*las* hachas	*las* hablas

El artículo indeterminado *una* se convierte en *un* en los mismos casos:

un águila	*un* arca	*un* haya	*un* hada
unas águilas	*unas* arcas	*unas* hayas	*unas* hadas

usos y valores

El artículo **determinado** tiene una activa presencia delante del sustantivo, salvo que éste vaya especificado por cualquier otro determinante (*demostrativo, posesivo, indefinido,* etc.)

Acompaña, normalmente, al sujeto y al complemento directo de la oración:

La cocinera corta *las* chuletas.
El jardinero riega *los* rosales.

Se usa acompañando al atributo del verbo *ser* cuando tiene carácter identificador:

Pedro es *el* vicedecano.
Estos hombres son *los* testigos.

También acompaña a los nombres no contables en singular, tanto en su papel de sujetos, como de complementos directos de la oración:

El alcohol puede producir cirrosis.
Cómete *la* carne que te he preparado.

El artículo determinado puede anteponerse a:

un sustantivo:	*El* barco es muy grande.
un infinitivo sustantivado:	*El* leer es instructivo.

un adjetivo o participio, sustantivados: *Me molesta **lo** dulce. Prefiero **lo** salado.*

un oración adjetiva o de relativo: ***El** que no estudies me desespera.*

El artículo **indeterminado** individualiza, sin especificarlo, tanto al sujeto como al complemento directo de la oración:

> ***Un** coche derrapó sobre el asfalto.*
> *He comprado **unas** patatas fritas.*

También individualiza al atributo del verbo *ser* cuando éste indica profesión, oficio, nacionalidad, etc.:

> *Es **un** conocido escritor.*
> *Mi mejor amigo es **un** escocés.*

La omisión del artículo indeterminado ante el complemento directo, le concede una significación generalizadora:

> *Hemos comprado cazadoras en Rusia.*

En cambio, ante atributos del verbo *ser*, la omisión del indeterminado aporta un carácter identificador:

> *Mi hermano es alpinista.*

El artículo indeterminado coincide, en su forma, con el numeral y con el indefinido:

> *Debajo de la mesa encontré **un** paquete (uno, no dos).*
> *Tuve **un** (cierto) coche que no me daba más que problemas.*

el artículo neutro lo

Al no existir en español sustantivos neutros, el artículo *lo* nunca acompaña al sustantivo como tal. Sirve para manifestar la condición de sustantivos de partes de la gramática que, en principio, no lo son:

> ***Lo** antiguo me gusta más que **lo** actual.*
> *No me parece nada mal **lo** que dices.*
> *¡**Lo** mucho que gana y **lo** poco que trabaja!*

usos específicos del artículo

a. Ante nombre propio de persona

En general los nombres propios de persona no van precedidos de artículo, pero existen algunas excepciones:

— Nombres y apellidos, cuando se hace referencia a un conjunto de personas que los tienen en común:

> **Los** Fernández han venido a vernos.
> ¿Fueron **unos** Rodríguez los dueños de esto?

Obsérvese que el apellido se mantiene en singular, a no ser que se trate de dinastías o nombres ilustres:

> La casa de **los** Borbones.

— Nombres de personajes famosos, cuando se aplican a otras personas:

> Se ha convertido en **el** Napoleón del siglo xx.
> Estás hecho **un** Indiana Jones.

— Nombres de mujeres famosas en el mundo del cine o del espectáculo:

> **La** Caballé dará un recital en Oviedo.

— Nombres de obras literarias o artísticas, designadas por el apellido de sus autores. Cuando se trate de pintura o escultura, se admite que el nombre se escriba con minúscula:

> En su colección figura **un** picasso.
> Habrá que consultar **el** Casares.

b. Ante nombre propio de lugar

Tampoco los nombres propios de lugar suelen llevar artículo. Las excepciones son:

— Los nombres de montes, ríos, volcanes, etc., en los que el nombre común se sobreentiende:

> **El** Veleta es el pico más alto de Sierra Nevada.
> Los países bañados por **el** Mediterráneo.

— En ciertos casos, el artículo forma parte del nombre propio:

> En **El** Salvador hay nuevas revueltas.
> Hemos veraneado en **La** Rioja.

— También llevan artículo los nombres propios geográficos, cuando van acompañados de complementos distintivos:

La Francia ocupada por los alemanes.
La España de finales de siglo.

— Los nombres de lugar, cuando se refieren a la denominación de un equipo deportivo local:

El Madrid ha vuelto a empatar.

Lo estudiado en este capítulo se encuentra en **ESPAÑOL 2000,**

Nivel **elemental:** pág. 24.
Nivel **superior** : pág. 24.

capítulo XVIII *el sustantivo*

el sustantivo

El nombre sustantivo **común** es el que sirve para designar a las personas, los animales y las cosas:

El hombre, el niño, la vaca, el león, el libro, la montaña.

El nombre sustantivo **propio** es el que sirve para individualizar o particularizar las diferentes versiones de una misma clase, especie o género de la realidad:

Tomás, Segovia, Velázquez, Asia.

género natural y género gramatical

El género natural (*masculino/femenino*) se representa en español:

a.   Masculino en **-o**, femenino en **-a**:

Niño, niña.   *Perro, perra.*

b.   Masculino en **-e**, femenino en **-a**:

Presidente, presidenta.   *Monje, monja.*

c.   Masculino en consonante, femenino en **-a**:

León, leona.   *Francés, francesa.*   *Pastor, pastora.*

d.   Con palabras distintas en masculino y femenino (heteronimia):

Hombre, mujer.   *Caballo, yegua.*   *Macho, hembra.*

e.   Con la misma forma para ambos géneros. El masculino y el femenino se distinguen por el género del determinante que los acompaña:

El pianista, la pianista.   *El oyente, la oyente.*

Por el género gramatical, los sustantivos se dividen en masculinos y femeninos. El género neutro no existe en la categoría de sustantivo.

El género gramatical es completamente arbitrario y puede representarse bajo las normas siguientes:

a. Los nombres acabados en vocal pueden ser masculinos o femeninos:

Los acabados en **-a** son generalmente femeninos: *falda, fiesta...,* pero las excepciones son numerosas:

el clima, el drama, el enigma, el sistema...

Los acabados en **-e** son, en su mayoría, masculinos, aunque también existen muchas excepciones:

el apéndice, el cine, el coche, el paquete...

pero:

la costumbre, la nieve, la nube, la torre...

Los terminados en **-i** o **-u** son, en general, masculinos: *jabalí, safari, Perú...,* pero existen excepciones, como *la tribu.*

Los acabados en **-o** son, casi siempre, masculinos: *carro, empleo, polvo, saco...*
Excepciones: *la foto, la dinamo, la mano, la nao, la seo...*

b. Actualmente existe una tendencia muy marcada a adoptar formas en **-a** para los nombres que indican cargo o profesión:

Concejala, jueza, ministra, médica...

c. Los nombres terminados en consonante pueden ser, indistintamente, masculinos o femeninos, aunque tienden hacia el género masculino:

-d : *El abad, el caíd.*	*La ciudad, la verdad.*
-j : *El carcaj, el reloj.*	*La troj.*
-l : *El árbol, el cartel, el abedul.*	*La cárcel, la miel, la piel.*
-n : *El corazón, el melón.*	*La razón, la sartén.*
-r : *El calor, el horror.*	*La flor, la mujer.*
-s : *El autobús, el atlas, el coxis.*	*La bilis, la crisis, la mies.*
-t : *El déficit, el superávit.*	
-x : *El clímax, el fax.*	
-z : *El pez, el arroz.*	*La paz, la luz.*

palabras cuyo significado se determina por el género

No se trata de sustantivos que admitan los dos géneros, sino de palabras que, al cambiar de género, cambian también de significado:

el capital (cantidad de dinero; riqueza)   *la capital* (ciudad principal de un país)

el clave (instrumento musical)	*la clave* (código; explicación)
el cólera (enfermedad)	*la cólera* (sentimiento de ira)
el cometa (astro)	*la cometa* (juguete)
el corte (acción de cortar)	*la corte* (personas que rodean a un rey)
el frente (campo de batalla)	*la frente* (parte del rostro)
el parte (informe; comunicación)	*la parte* (porción; sector)
el orden (colocación, serie)	*la orden* (mandato, norma)
el pendiente (adorno, joya)	*la pendiente* (cuesta)
el pez (animal acuático)	*la pez* (sustancia pegajosa)

palabras con incremento en el significante

Una serie de sustantivos presentan un incremento en el significante al formar el género femenino a partir del masculino:

abad ⟶ abad**es**a	jabalí ⟶ jabal**in**a
gallo ⟶ gall**in**a	Papa ⟶ Pap**is**a
héroe ⟶ hero**ín**a	sacerdote ⟶ sacerdot**is**a.

el número

El número (*singular* o *plural*) afecta por igual a todos los sustantivos. Para formar el plural (también el de los adjetivos) se añade al singular **-s** o **-es**.

Como norma general, se añade **-s** al singular de las palabras terminadas en vocal átona, y se agrega **-es** al de las palabras acabadas en consonante:

espada ⟶ espadas	error ⟶ errores
gente ⟶ gentes	árbol ⟶ árboles
espejo ⟶ espejos	ciudad ⟶ ciudades

Las palabras acabadas en **-z** cambian ésta por **c** al adoptar el plural:

paz ⟶ paces	luz ⟶ luces

palabras acabadas en vocal tónica

En estas palabras se tiende actualmente a formar el plural como si se tratase de vocal átona:

café ⟶ cafés	jabalí ⟶ jabalís
bisturí ⟶ bisturís	mamá ⟶ mamás
esquí ⟶ esquís	sofá ⟶ sofás

Sin embargo, en las acabadas, sobre todo, en **-í**, **-ú** tónicas, la tendencia *era* añadir **-es:**

$$alhelí \longrightarrow alhelíes$$
$$tabú \longrightarrow tabúes$$

palabras acabadas en consonante

a. Los sustantivos monosílabos y los polisílabos agudos forman el plural añadiendo **-es** al singular:

reloj ⟶ relojes	país ⟶ países	autobús ⟶ autobuses
pan ⟶ panes	sol ⟶ soles	revés ⟶ reveses

b. Los polisílabos no agudos acabados en -**s**, -**x** no varían en la forma del plural:

> *los atlas, los brindis, los énfasis, los jueves, los tifus, los clímax*

c. Los sustantivos terminados en **-d**, **-l**, **-n**, **-r**, **-x**, **-z** no agrupados con otras consonantes forman el plural añadiendo **-es** al singular:

> *los abades, las cárceles, los resúmenes, los temores, los faxes, los arroces*

d. Algunos sustantivos sólo existen en plural. Su forma singular no existe o no se usa:

> *exequias, víveres, nupcias...*

Existe un grupo de sustantivos que, pese a su forma singular, sólo se usan en plural:

> *tijeras, pantalones, gafas...*

e. Las palabras de origen latino no se usan en forma plural: *déficit, ultimátum...*

f. *Carácter* y *régimen* cambian la acentuación al formar el plural: *caracteres* y *regímenes.*

plural de los nombres compuestos

Forman el plural según la cohesión de sus elementos:

a. En el último elemento: *portafolios, parachoques...*
b. En el primer elemento: *casas-cuna, hombres-rana, coches-cama...*
c. En ambos elementos: *guardiasciviles, ricashembras...*

Cuando el compuesto adopta forma plural, el número lo realiza por medio del determinante:

los guardamuebles, estos limpiaparabrisas...

plural de los nombres propios

Los nombres propios de persona y lugar carecen de plural, aunque —como se vio en el capítulo anterior— pueden pluralizarse los apellidos de linajes o dinastías:

El Madrid de los Austrias.

Y los nombres de pintores o escultores famosos, aplicados a sus obras:

En el Museo del Prado hay goyas y murillos.

regularización de los neologismos

Los neologismos forman, en general, el plural, siguiendo las reglas de la lengua española:

álbum ⟶ albúmes

Aunque en algunos de reciente adopción, puede existir vacilación:

club ⟶ clubs/clubes

Si acaban en consonante que no sea **d**, **l**, **n**, **r**, **s**, **x** o **z**, tienden a formar el plural añadiendo **-s**, **-es**, o permaneciendo invariables:

staff-s, shock-s, compact disk-s, boom-s, market-s.
chip-es, club-es, vivaques.
los soviet, los test.

compló-s, chalé-s es la tendencia natural del español, una vez regularizado el neologismo según las leyes fonéticas del español.

Regularización de nombres extranjeros

	PRONUNCIACIÓN	PLURAL
Cabaret	cabaré	cabarés
Carnet	carné	carnés
Clown	clon	clones
Cock-tail	cóctel	cócteles
Complot	compló	complós
Chalet	chalé	chalés
Film	filme	filmes
Penalty	penalti	penaltis
Spaghetti	espagueti	espaguetis
Slogan	eslogan	eslóganes
Yogourth	yogur	yogures

Lo estudiado en este capítulo se encuentra en **ESPAÑOL 2000,**

Nivel **elemental:** págs. 25 y 49.
Nivel **medio**   : págs. 140 y 218.

XIX la palabra

la palabra: formación

La palabra es la mínima secuencia de segmentos dotada de significado y susceptible de ser aislada mediante pausas:

Tú, ayer, sombrero, elegante, tempranísimo.

El morfema es la mínima sucesión de fonemas (ver capítulo I) dotado de significación. Puede coincidir con la palabra, en cuyo caso se habla de palabras *radicales:*

con,   el,   de,   fe.

El morfema es parte de la palabra: *plum-ero.*

Los morfemas derivativos, también llamados *sufijos,* afectan a la significación de la palabra y forman series abiertas:

Niñero, chiquitín.

Los morfemas flexivos, también llamados *desinencias,* indican la categoría gramatical de la palabra y sus variantes formales; constituyen series cerradas:

Como, comes;   niño, niños.

composición

Se da el fenómeno de la composición cuando dos (o más) palabras se unen para formar otra:

quienquiera,   tampoco,   tragaperras,   veintidós,   vinagre.

Los compuestos *propios* tienden a ser formaciones léxicas: *bocamanga.*

Los compuestos *impropios* tienen carácter sintáctico, porque en ellos intervienen más de dos palabras: *correveidile.*

Los *prefijos* (morfemas que se sitúan delante de la palabra) tienen mayor autonomía que los sufijos (morfemas que se colocan detrás de la palabra):

hiper*mercado*   **entres***acar*   *navega****ción***   *malagu****eño***

derivación

Se da el fenómeno de la derivación cuando una palabra se obtiene añadiendo a otra un sufijo:

amar ⟶ *am-able*   *pata* ⟶ *pat-ada*

Parasíntesis

Es un proceso de formación de palabras en el que entran a formar parte la composición y la derivación:

desalmado: des + alma + ado
narcotraficante: narco + tráfico + ante

la composición: fases

La composición de la palabra ofrece tres fases principales:

a. Composición en sentido propio. Principio fundamental: *dos o más palabras se juntan para formar una nueva.*

1. Composición de tipo latino: *todopoderoso,* traducción docta de *omnipotente;* de tipo griego: vocal *o* en lugar de la *i* latina: *litografía.*
2. Compuesta por unidades semánticas, de determinante a determinado y por su función: *a sabiendas, barbilampiño.*
3. Componentes de independencia en la frase: *ojo de buey.*
4. Composición coordinativa: *coliflor.*
5. Composición subordinativa: *apagavelas, matasuegras.*
6. Componentes adjetivos: *agridulce.*
7. Dos sustantivos: *carricoche.*
8. Adjetivo y sustantivo: *minifalda, minitrén, alicorto.*
9. Verbo y sustantivo: *quitasol, tornaboda.*
10. Adverbio y verbo: *bendecir, malcasar.*
11. Adverbio y sustantivo: *malandanza.*
12. Adverbio y conjunción: *aunque.*
13. Conjunción y verbo: *siquiera, vaivén.*
14. Frase hecha: *bienmesabe, correveidile.*
15. Dos nombres propios: *Mari Blanca, Mari Carmen.*

b. *Fase prefijal:*

1. Por preposiciones o prefijos separables: *anteponer, posponer, entretela, entreacto.*
2. Por prefijos propiamente dichos o elementos *inseparables* que no tienen uso fuera de la composición: *a, an, ab, abs, ad, ana, anfi, archi, bis, circum, cis, citra, deci, de, di, en, epi, equi, ex, extra, hiper, hipo, in, inter, meta, miria, mono, ob, per, peri, pos, pre, pro, proto, re, res, super, trans, ultra:*
   aparecer, abjurar, admirar, abstraer, circunvecino, cisalpino, obtener, permitir, superfluo.

c. *Fase de composición parasintética:* Se trata de la palabra formada por composición y derivación: *paniaguado, pordiosero* (por + Dios + sufijo *-ero*), *aprisionar* (prefijo *a* + *prisión* + sufijo *-ar*), *endulzar* (en + dulce + ar).

Los parasintéticos no deben confundirse con los derivados de palabras compuestas: *subdiaconado* compuesto de *subdiácono, subdesarrollado* de *sub* y *desarrollo.*

El mayor número de parasintéticos se da en los verbos de prefijos: *descuartizar, ensoberbecer, descabezar, ensimismar* y *sonrojar.*

Se llama también parasintética la composición de dos palabras con un sufijo sin que exista el grupo previo de las dos palabras, como *ropavejero* y *misacantano.*

Es muy corriente y curiosa la composición por reduplicación, en la que el segundo miembro suele ser como un eco o imitación del primero: *tiquis miquis, a troche y moche.*

raíces prefijas

a-, an-	: privación o negación.	*ateo, anovulatorio.*
acro-	: alto, parte superior	*acróbata, acrópolis.*
aero-	: relativo al aire.	*aerostático, aeropuerto.*
ante-	: anterioridad.	*antediluviano, anteponer.*
anti-	: oposición.	*antibiótico, anticonceptivo.*
antropo-	: relativo al hombre.	*antropófago, antropología.*
auto-	: por sí mismo.	*autarquía, autorretrato.*
biblio-	: relativo a los libros.	*bibliografía, biblioteca.*
bio-	: vida.	*biología, biosfera.*
braqui-	: corto, breve.	*braquicéfalo, braquigrafía.*
caco-	: malo.	*cacofonía, cacografía.*
circun-	: alrededor.	*circunferencia, circunloquio.*
co-, con-	: asociación.	*confraternizar, coeditor.*
contra-	: oposición.	*contraguerrilla, contraponer.*
cosmo-	: universo.	*cosmonauta, cosmopolita.*
cripto-	: oculto.	*cripta, criptografía.*
cromo-	: color.	*cromático, cromosoma.*
crono-	: tiempo.	*cronómetro, cronológico.*
de-, des-	: negación.	*depreciado, desamortizar.*
deca-	: diez.	*decálogo, décimo.*

demo-	: pueblo, población.	*democracia, demografía.*
dinamo-	: fuerza.	*dinámico, dinamita.*
en-, em-	: acción en.	*enterrar, empaquetar.*
entre-	: situación intermedia.	*entrecruzar, entrever.*
ex-	: fuera.	*externo, exterior.*
ex-	: lo que ha sido y ya no es.	*exalumno, expresidente.*
fono-	: sonido.	*fonógrafo, fonema.*
foto-	: luz.	*fotografía, fotosíntesis.*
gastr-	: estómago.	*gástrico, gastroenteritis.*
gin-	: femenino.	*gineceo, ginecólogo.*
hecto-	: cien.	*hectómetro, hectólitro.*
helio-	: sol.	*heliógrafo, heliotropo.*
hemo-	: sangre.	*hemofilia, hemorragia.*
hetero-	: distinto.	*heterodoxo, heterogéneo.*
hiper-	: superioridad, exceso.	*hipermercado, hipertensión.*
hipo-	: interioridad, falta de.	*hipocentro, hipotenso.*
homo-	: igual.	*homologar, homogéneo.*
icono-	: imagen.	*iconografía, iconoclasta.*
in-, im-	: negación, carencia.	*incomprensible, imposible.*
infra-	: por debajo de.	*infrarrojo, infrahumano.*
inter-	: entre.	*interurbano, intercambio.*
intra-	: interno.	*intramuros, intravenoso.*
macro-	: grande.	*macrocéfalo, macroeconomía.*
maxi-	: grande.	*maxifalda, maximizar.*
micro-	: pequeño.	*microbio, microscopio.*
multi-	: muchos.	*multitud, multiplicar.*
neo-	: nuevo.	*neologismo, neonato.*
omni-	: todo.	*omnipresente, omnímodo.*
penta-	: cinco.	*pentagrama, pentágono.*
pluri-	: varios.	*plural, pluriempleo.*
poli-	: mucho.	*polifacético, polivante.*
pos-, post-	: posterioridad.	*postguerra, posbélico.*
pre-	: anterioridad.	*prejuicio, prenatal.*
pro-	: por; delante.	*pronombre, proponer.*
psico-	: mente, alma.	*psicología, psicosis.*
pseudo-	: falso.	*pseudópodo, pseudónimo.*
re-	: otra vez, repetición.	*reeditar, reconsiderar.*
retro-	: hacia atrás.	*retrotraer, retraso.*
su-, sub-,	: por debajo, inferior.	*sumergir, subestimar.*
super-	: encima.	*superior, superhombre.*
supra-	: por encima.	*suprarrenal, supremacía.*
tele-	: lejos.	*teléfono, televisión.*
trans-	: más allá.	*transatlántico, transporte.*
ultra-	: extremadamente.	*ultravioleta, ultraconservador.*
vice-	: en lugar de.	*vicepresidente, vicario.*

sufijos cultos

-algia	: dolor.	*cefalalgia, neuralgia.*
-arquía	: gobierno.	*monarquía, anarquía.*
-céfalo	: cabeza.	*bicéfalo, braquicéfalo.*
-cracia	: mando.	*democracia, plutocracia.*
-dromo	: carrera.	*hipódromo, velódromo.*
-filia	: afición.	*germanofilia, halterofilia.*

-fobia	: odio.	*hidrofobia, fotofobia.*
-fonía	: sonido.	*megafonía, psicofonía.*
-gamia	: matrimonio.	*endogamia, monogamia.*
-geno	: engendrar.	*exógeno, cancerígeno.*
-lito	: piedra.	*monolito, paleolítico.*
-mancia	: adivinación.	*cartomancia, quiromancia.*
-oide	: de forma de.	*asteroide, humanoide.*
-patía	: enfermedad.	*homeopatía, cardiopatía.*
-scopio	: mirar.	*microscopio, telescopio.*
-teca	: caja.	*biblioteca, hemeroteca.*
-tecnia	: ciencia, técnica.	*electrotecnia, mercadotecnia.*
-terapia	: curación.	*fisioterapia, radioterapia.*
-tipia	: modelo.	*fototipia, linotipia.*
-tomía	: corte.	*dicotomía, viscerotomía.*

sufijos españoles

a. **cualidad**

-ancia	:	*abundancia, tolerancia.*
-anza	:	*bonanza, templanza.*
-dad	:	*caridad, temeridad.*
-edad	:	*soledad, cortedad.*
-encia	:	*inocencia, decencia.*
-eria	:	*miseria, histeria.*
-idad	:	*comodidad, hospitalidad.*
-ismo	:	*conformismo, intimismo.*
-ón	:	*compasión, conciliación.*
-ud	:	*laxitud, virtud.*

b. **acción**

-ación	:	*oración, dejación.*
-ada	:	*acampada, sentada.*
-adura	:	*andadura, tomadura.*
-aje	:	*aprendizaje, hospedaje.*
-amiento	:	*alejamiento, asentamiento.*
-ancia	:	*estancia, concordancia.*
-e	:	*canje, despliegue.*
-edura	:	*torcedura, cocedura.*
-encia	:	*suplencia, reverencia.*
-esión	:	*cesión, represión.*
-exión	:	*conexión, flexión.*
-ez	:	*altivez, estupidez.*
-ición	:	*medición, petición.*
-imiento	:	*corrimiento, sometimiento.*
-o	:	*canto, estudio.*
-or	:	*fulgor, estertor.*

c. **lugar o recipiente**

-adero : *embarcadero, secadero.*
-ado   : *entoldado, emparrado.*
-ar   : *hangar, muladar.*
-ario : *campanario, estuario.*
-edor : *comedor.*
-ento : *asentamiento, aparcamiento.*
-era   : *escombrera, papelera.*
-ería : *portería, conserjería.*
-ero   : *cenicero, lavadero.*
-ía   : *sacristía, secretaría.*

d. **conjunto, colectividad**

-ada   : *manada, mesnada.*
-ado   : *alumnado, alumbrado.*
-al   : *robledal, barrizal.*
-amen : *maderamen, velamen.*
-ar   : *centenar, millar, encinar.*
-eda   : *alameda, castañeda.*
-edo   : *hayedo, robledo.*
-erío : *caserío, mujerío.*
-ud   : *multitud, juventud.*

sufijación de adjetivos

a. **relativo a**

-al, -ar   : *ministerial, circular.*
-an(o), -iano : *alemán, humano, asturiano.*
-ario   : *legionario, visionario.*
-ativo   : *nativo, especulativo.*
-atorio   : *natatorio, suplicatorio.*
-ense   : *almeriense, londinense.*
-eño   : *congoleño, risueño.*
-ero   : *panadero, montañero.*
-és   : *coruñés, escocés.*
-í   : *marroquí, israelí.*
-il   : *mujeril, conejil.*
-ino   : *parisino, divino.*
-ista   : *modista, economista.*
-itivo   : *expeditivo, vomitivo.*
-itorio   : *meritorio, petitorio.*

b. que posee una cosa o tiene aspecto de ella

-ado : *azulado, adinerado.*
-ento : *violento, amarillento.*
-iento : *hambriento, sediento.*
-izo : *cobrizo, enfermizo.*
-ón : *hambrón, cincuentón.*
-udo : *cachazudo, barrigudo.*

c. que realiza la acción

-adizo : *asustadizo, huidizo.*
-ador : *mediador, espectador.-*
-ante : *caminante, entrante.*
-edizo : *corredizo, advenedizo.*
-edor : *vendedor, valedor.*
-ente : *oyente, presente.*
-ero : *tapicero, camillero.*
-idor : *inquisidor, bruñidor.*
-iente : *saliente, dependiente.*
-ón : *comilón, llorón.*
-oso : *lluvioso, deseoso.*

d. que puede sufrir la acción

-able : *operable, considerable.*
-adero : *llevadero.*
-edero : *perecedero.*
-ible : *posible, comestible.*
-idero : *venidero.*

Lo tratado en este capítulo se encuentra en
ESPAÑOL 2000,

Nivel **medio** : págs. 105, 121, 122, 149 y
208.
Nivel **superior** : págs. 21, 26, 37, 54, 70, 84,
85, 98, 100, 118, 119, 158,
180, 181 y 182.

XX el adjetivo calificativo

el adjetivo calificativo

Es la parte de la oración que acompaña al nombre para poner de manifiesto sus atributos.

La casa grande.   *El hombre triste.*   *Los perros negros.*

Puede aparecer de las formas siguientes:

— En posición inmediata del nombre (antepuesto o pospuesto):

La nieve blanca.   *La blanca nieve.*

— En posición coordinada:

Los niños alegres y confiados.

— Agrupado con un artículo o pronombre, que remiten a un sustantivo expresado con anterioridad:

Me gustan el color azul y el amarillo.
El coche de Paco es pequeño y el mío, grande.

— Agrupado con la forma *lo*:

Lo malo de este asunto…

morfemas de concordancia

La incidencia del adjetivo sobre el sustantivo se manifiesta en la concordancia. Las formas flexionales del adjetivo son meras variantes combinatorias porque sus formas de concordancia no repiten el contenido masculino/femenino o singular/plural, sino que presentan una función sintáctica:

Casa blanca : casas blancas.
Muro negro : muros negros.

Género

En cuanto al género, los adjetivos presentan esencialmente dos formas:

a. variables

Esencialmente **-o/-a**:   *bueno/buena*

                  consonante/-a: *holgazán/holgazana*

Pertenecen a este grupo algunos derivados en -ote, -ín -ón, -dor y los gentilicios acabados en consonante:

grandote/grandota	*andaluz/andaluza*
pequeñín/pequeñina	*albanés/albanesa*
comodón/comodona	*bretón/bretona*
bailador/bailadora	*irlandés/irlandesa*

b. invariables

Por regla general, no cambian de forma los adjetivos masculinos acabados en:

-a	: *hipócrita, sibarita.*	-ense	: *almeriense, forense.*
-e	: *fuerte, miserable.*	-ente	: *suficiente, paciente.*
-i	: *baladí, cursi.*	-ial	: *material, imperial.*
-u	: *zulú, hindú.*	-iente	: *naciente, saliente.*
-ante	: *cantante, brillante.*	-iel	: *infiel.*
-ar	: *militar, impar.*	-il	: *hábil, imbécil.*
-az	: *locuaz, montaraz.*	-iz	: *aprendiz, infeliz.*

Tampoco varían los comparativos léxicos: *inferior, mayor, mejor, peor...*

Número

El número del adjetivo coincide, en líneas generales, con el del sustantivo:

— Añaden **-s** los acabados en vocal, excepto **í** o **ú** tónicas:

cavernícola	: *cavernícolas*		
fuerte	: *fuertes*		
cursi	: *cursis*	pero *ceutí*	: *ceutíes*
sabio	: *sabios*	*zulú*	: *zulúes*

— Añaden **-es** los acabados en consonante o en **í** o **ú** tónicas:

azul	: *azules*
haragán	: *haraganes*
magrebí	: *magrebíes*
hindú	: *hindúes*

— Los acabados en **-es** no agudos son invariables:

    rubiales, isósceles, mochales...

clasificación morfológica

Los adjetivos pueden ser:

— simples   : *alto, dulce, rojo, simpático…*
— compuestos : *verdinegro, pelirrojo, agridulce, cabizbajo…*
— primitivos : *sencillo, difícil, lento…*
— derivados : -oso : *odioso, temeroso…*
              -ano : *africano, antediluviano…*
              -ero : *mensajero, pendenciero…*
              -able : *admirable, rechazable…*
              -ido : *querido, estúpido…*

clasificación semántica

El adjetivo calificativo expresa alguna cualidad semántica interna o externa del objeto aludido por el sustantivo. Siguiendo a Navas Ruiz *(En torno a la clasificación del adjetivo)* se pueden distinguir:

— clasificadores : *español, católico, vegetariano…*
— cualitativos   : *bueno, antipático, tímido, imprudente…*
— de estado   : *enfermo, alegre, soltero, nervioso…*
— verbales   : *emprendedor, estudioso, envidiable…*
— situacionales de espacio o tiempo : *cercano, reciente, lejano, remoto…*
— situacionales de valoración : *útil, barato, eficaz, atractivo…*
— situacionales de cantidad   : *abundante, escaso, repleto, vacío…*

cuantificación del adjetivo

Nuestra gramática suele establecer la misma tripartición de la latina: *positivo, comparativo* y *superlativo.*

Salvador Fernández Ramírez propone —tomando como ejemplo el adjetivo *blanco*— la siguiente gradación:

```
              más blanco
blanco → igual de blanco → muy blanco → blanquísimo → el más blanco.
              menos blanco
```

Sin embargo, en dicha exposición no aparecen todas las posibilidades de la lengua, tales como:

casi blanco,   un poco blanco,   bastante blanco,   demasiado blanco…

Cuando los comparativos de igualdad o superioridad expresan la cualidad en alto grado, adquieren la condición de superlativos, si el término de la comparación posee esa cualidad:

Es más terco que una mula.
Sois tan rápidos como las ardillas.

En las comparaciones en las que el término es la propia cualidad, comparativo y superlativo se neutralizan:

Eres más tonto que tonto.

gradación del adjetivo

La cuantificación puede expresarse lexemáticamente, pero los que se dan con mayor frecuencia son el superlativo y su contrario:

durable/caduco	pesado/ligero	rápido/lento
POSITIVO	COMPARATIVO	SUPERLATIVO
bueno	*mejor*	*óptimo*
malo	*peor*	*pésimo*
grande	*mayor*	*máximo*
pequeño	*menor*	*mínimo*
	interior	*íntimo*
	exterior	*extremo*
	superior	*supremo*
	inferior	*ínfimo*
	posterior	*postremo*
	anterior	
	citerior	
	ulterior	

Muchas de estas formas (interior, inferior, superior, ulterior...) no son verdaderos comparativos ni superlativos. No se dice *superior* o *inferior que,* sino *superior* o *inferior a:*

Juan es inferior a Pedro.

En la formación del superlativo debemos atender a la prefijación y a la sufijación:

— Prefijación.

archi- : *archisabido.*	requete- : *requeteguapa.*
extra- : *extraordinaria.*	sobre- : *sobresaliente.*
re- : *relimpio.*	super- : *supercómodo.*

— Sufijación.

-ísimo : *agradabilísimo, feísimo, chulísimo.*
-érrimo : *celebérrimo, paupérrimo, misérrimo.*

— Aspectos particulares.

Los adjetivos acabados en **-ble** forman el superlativo en **-bilísimo**:

noble: nobilísimo   amable: amabilísimo.

Los acabados en **io** pierden la **i** al formar el superlativo:

amplia: amplísima   sucio: sucísimo.

Los acabados en **ío** siguen la regla general y conservan la **i**:

frío: friísimo   vacía: vaciísima.

Las formas del superlativo irregular suelen ser latinas:

amicísimo   frigidísimo   ubérrimo.

forma y colocación de algunos adjetivos

	SINGULAR	PLURAL
MASCULINO	*alto inglés grande*	*altos ingleses grandes*
FEMENINO	*alta inglesa grande*	*altas inglesas grandes*

Los adjetivos calificativos pueden colocarse indistintamente delante o detrás del sustantivo:

la nieve blanca   la blanca nieve
el sueño profundo   el profundo sueño

Pero ciertos adjetivos transforman el significado de la cualidad por el hecho de colocarse antes o después del nombre:

una alta cuna (nobleza)	*una cuna alta* (tamaño)
una cierta cosa (indefinida)	*una cosa cierta* (segura, verdadera)
una extraña persona (rara)	*una persona extraña* (desconocida)
un gran hombre (importante, famoso)	*un hombre grande* (corpulento)
un mal día (desafortunado)	*un día malo* (mal clima)
una nueva casa (otra distinta)	*una casa nueva* (recién construida)
un pobre hombre (de poca personalidad)	*un hombre pobre* (sin dinero)
un raro caso (poco frecuente)	*un caso raro* (extraño)
un simple estudiante (uno cualquiera)	*un estudiante simple* (de poca inteligencia)
una sola mujer (sólo una)	*una mujer sola* (sin acompañante)
un viejo amigo (amigo de mucho tiempo)	*un amigo viejo* (de avanzada edad)

Los adjetivos *bueno, malo, primero* y *tercero* pierden la **o** cuando van ante un sustantivo singular:

Un año bueno : un buen año.   El piso primero : el primer piso.
Un chico malo : un mal chico.   El siglo tercero : el tercer siglo.

El adjetivo **grande** se apocopa siempre delante de sustantivo (sea masculino o femenino):

Un jardín grande: un gran jardín.   Una tarta grande: una gran tarta.

El adjetivo **santo** se apocopa ante nombres del género masculino *(San Gabriel, San Antonio)*, excepto ante aquellos nombres que comiencen por dental **(d, t)** seguida de **o**:

Santo Domingo, Santo Toribio.

adjetivos gentilicios

Los adjetivos derivados de los nombres de localidades geográficas, razas, religiones o tendencias políticas pueden adoptar diversas terminaciones:

-a	:	*belga, vietnamita.*	-í	:	*marroquí, iraní.*
-aco	:	*polaco, austriaco.*	-inés	:	*dublinés, pequinés.*
-án	:	*catalán, musulmán.*	-io	:	*canario, libio.*
-ano	:	*cristiano, asturiano.*	-ino	:	*alicantino, filipino.*
-arra	:	*donostiarra, indauchutarra.*	-ista	:	*budista, socialista.*
-asco	:	*monegasco, bergamasco.*	-ita	:	*israelita, vietnamita.*
-ata	:	*keniata, croata.*	-o	:	*ruso, búlgaro.*
-e	:	*malgache, etíope.*	-ol	:	*español, mongol.*
-ense	:	*lucense, almeriense.*	-or	:	*conservador.*
-eño	:	*madrileño, portorriqueño*	-ota	:	*chipriota, cairota.*
-és	:	*inglés, albanés.*	-ú	:	*hindú, bantú.*
-eta	:	*lisboeta.*	-uz	:	*andaluz.*

esquema de clasificación de los adjetivos

POR SU SIGNIFICACIÓN

Calificativos

positivos:	*bueno, ignorante, justo, sabio, torpe…*
comparativos:	*mejor, mayor, menor, más justo, menos sabio…*
superlativos:	*buenísimo, celebérrimo, el más torpe…*
absolutos:	*bello, grande, horrible…*

primitivos:		*azul, sucio, ágil…*
derivados:	verbal:	*amable, estudioso, trabajador…*
	nominal:	*cariñoso, memorable, violento…*
de estructura:	verbal:	*útil, feliz, usual…*
	compuesta:	*inútil, infeliz, inusual…*

Determinativos

demostrativos:	*este, ese, aquel…*
posesivos:	*mi, tu, su, nuestro, vuestro, su…*
	mío, tuyo, suyo…
indefinidos:	*cualquier(a), cierto, tal, otro…*
cuantitativos:	*poco, algún, bastante, mucho, todo…*
distributivos:	*ambos, cada, demás, sendos…*

numerales:	cardinales:	*uno, cinco, diecisiete…*
	ordinales:	*primero, quinto, decimoséptimo…*
	partitivos:	*medio, un tercio, un cuarto…*
	múltiplos:	*doble, triple, cuádruple…*

interrogativos:	*¿qué…?, ¿quién…?, ¿cuál…?…*
exclamativos:	*¡qué…!, ¡cuán(to)!…*

POR SU CONSTRUCCIÓN

atributivos:	*Tienes unas manos **maravillosas.***
predicativos:	*Tus joyas son muy **valiosas.***
	*¡Qué **hermosa** tarde!*

POR SU FORMA EXPRESIVA

epítetos:	***Verde** hierba, **negra** noche, **suave** voz…*

Lo tratado en este capítulo se encuentra en **ES-PAÑOL 2000,**

Nivel **elemental:** págs. 17, 21, 132, 138 y 207.
Nivel **medio** : pág. 217.
Nivel **superior** : pág. 58.

capítulo XXI los apreciativos

los apreciativos

Es preferible el término general de **apreciativo** sobre los específicos de *aumentativo, diminutivo* y *despectivo.* Todos ellos pertenecen a la derivación y tienden a significar aspectos muy particulares, entre los que destacan los usos del diminutivo de afectividad, efusividad y cortesía.

En algunas ocasiones, los apreciativos producen una lexicalización completa, dando origen a nuevas palabras:

bomba	⟶ bombilla	cera	⟶ cerilla
caballo	⟶ caballete	lámpara	⟶ lamparón
cama	⟶ camilla	mesa	⟶ mesilla
camisa	⟶ camiseta	pera	⟶ perilla
casa	⟶ caseta	torno	⟶ tornillo

Los sufijos apreciativos se intercalan entre el lexema y los morfemas de género o número. Cuando no se especifica el género, lo reproducen mediante la sufijación:

árbol ⟶ *arbolito*   *mujer* ⟶ *mujercita*
(azúcar ⟶ *azuquita/r* no reproduce el género).

aumentativos

-azo(a): *cochazo, discursazo, golpazo, madraza, manaza.*
-ón(a) : *hombrón, escopetón, mujerona, carpetona.*
-ote(a) : *animalote, chavalote, cabezota, narizota.*

También en el caso de algunos aumentativos se produce la lexicalización, con aparición de nuevos significados:

barca	⟶ barcaza	colcha	⟶ colchón
capa	⟶ capote	padre	⟶ padrón
carpeta	⟶ carpetazo	tumba	⟶ tumbona

despectivos

-ete(a): *vejete, pillete.*   -uco(a): *p'ebluco, montañuca.*
-ejo(a): *tipejo, silleja.*   -aco(a): *libraco, sudaca.*
-uelo(a): *chicuelo, aldehuela.*   -ucho(a): *tienducho, casucha.*

diminutivos

-eto(a): *libreto, banqueta.*   -iño(a): *barquiño, perriña.*
-ico(a): *borrico, ventanica.*   -ito(a): *cochecito, bolsita.*
-illo(a): *chiquillo, campanilla.* -uco(a): *ventanuco, casuca.*
-ín(a):   *pueblín, chiquitina.*   -uelo(a): *riachuelo, pilluela.*

En general, el sufijo *-ito(a)* es, en la actualidad, el más extendido y genérico; *-illo(a)* es más habitual en Andalucía; *-ico(a)* se usa más en Aragón; *-uco(a)* es propio de Cantabria; *-ín(a)* es frecuente en Asturias; *-iño(a)* es típico de Galicia.

cambios en la formación de los apreciativos

La presencia de los sufijos puede conllevar los cambios siguientes:

a. Cambio de acento al ser tónicos y atraer el acento hacia ellos:

coche ⟶ *cochecito*   *válvula* ⟶ *valvulilla.*

b. Cambio de fonemas:

— Toda vocal átona, en posición final, desaparece:

casa ⟶ *casita*   *coche* ⟶ *cochazo.*

— La consonante **d** en posición final de palabra no monosílaba se cambia en **c**:

pared ⟶ *parecita.*

c. Los sufijos *-ito(a), -illo(a), -ico(a)* exigen, a veces, un aumento fónico:

-cec- en palabras monosílabas acabadas en vocal:

pie ⟶ *piececito.*

-ec- en palabras monosílabas acabadas en consonante, y en bisílabas acabadas en **e**:

sol ⟶ *solecito*   *nave* ⟶ *navecita.*

-c- en palabras polisílabas acabadas en **-r** o en **-n**:

canción ⟶ *cancioncilla*   *regular* ⟶ *regularcillo.*

La presencia de estos sufijos no excluye la aparición de otros de la misma clase:

chico ⟶ chiquitito.

Esquema de los apreciativos

AUMENTATIVOS

-azo(a) : *padrazo, ojazo, bocaza, guapaza.*
-ón(a) : *medallón, papelón, casona, butacona.*
-ote(a) : *librote, palote, sanota, grandota.*

DIMINUTIVOS Y DESPECTIVOS

-aco(a) : *pajarraco, sudaca.*
-ajo(a) : *pingajo, rodaja.*
-ato(a) : *jabato, niñata.*
-ejo(a) : *lugarejo, peseteja.*
-ete(a) : *pobrete, banqueta.*
-ezno : *lobezno, torrezno.*
-ico(a) : *ratico, guitarrica.*

-illo(a) : *cigarrillo, colilla.*
-ín(a) : *abuelín, monina.*
-ito(a) : *cordelito, cajita.*
-orro/io : *ventorro, bodorrio.*
-uco(a) : *papeluco, casuca.*
-ucho(a) : *aguilucho, casucha.*
-uelo(a) : *doctorzuelo, pilluela.*

CAMBIOS DE SIGNIFICADO

banco ⟶ banquete.
bomba ⟶ bombón.
caballo ⟶ caballete.
cáñamo ⟶ cañamón.
capa ⟶ capote.

cara ⟶ careta.
gato ⟶ gatillo.
libro ⟶ libreto.
paso ⟶ pasillo.
presa ⟶ presilla.

CAMBIOS DE GÉNERO

la blusa ⟶ el blusón
el cuarto ⟶ la cuartilla

la pluma ⟶ el plumón.
la sala ⟶ el salón.

Lo estudiado en este capítulo se encuentra en **ESPAÑOL 2000,**

Nivel **medio:** págs. 86 y 133.

capítulo **XXII** la concordancia

concordancia entre sustantivo y adjetivo

El adjetivo concuerda en género y número con el sustantivo al que acompaña:

caballo blanco.   *este palacio.*
chica estudiosa.   *aquellas montañas.*
hombres sucios.   *poca gracia.*

Los adjetivos de una terminación se usan indistintamente con sustantivos masculinos o femeninos:

caballo veloz   *canoa veloz*   *aviones veloces*   *bicicletas veloces*

concordancia del adjetivo con varios sustantivos

a. Si todos los sustantivos son del mismo género, el adjetivo concuerda naturalmente con ellos:

Su blusa, su falda y su mochila eran amarillas.

b. Si los sustantivos son de diferente género, prevalecerá el masculino para la concordancia:

He comprado sillas, butacas y armarios blancos.

c. Aunque los sustantivos estén en singular, el adjetivo que los acompaña adoptará la forma del plural:

Había ensalada, sopa y solomillo recién elaborados.

d. El adjetivo puede concordar en género con el sustantivo más próximo:

Con su actitud y porte distinguido, cautivaba a todos.

concordancia sujeto-verbo

Cuando el verbo se refiere a un solo sujeto, concierta con él en persona y número:

El caballo negro corre por el campo.
Los perros ladraban furiosamente.

Si se refiere a varios sujetos, debe ir en plural:

Jesús, Nieves y yo nos iremos en barco.

Si los sujetos representan distintas personas, se prefiere para la concordancia la primera a la segunda y ésta, a la tercera:

Pedro, tú y yo nos vamos al cine.
Lola y tú iréis a la playa.

usos particulares de la concordancia

a. Los títulos y tratamientos como *alteza, excelencia, usted...* concuerdan con adjetivo masculino o femenino según el sexo de la persona:

Es usted muy simpática.
Su excelencia se puso furioso.

b. Los sustantivos colectivos como *gente, pueblo, multitud...*, cuando van en singular, pueden concertar con adjetivo o verbo en plural, por el sentido de la frase:

Gran parte de los fumadores sufren tos.
La mayoría de los manifestantes, incontrolados, arrollaron a la policía.

c. A veces puede utilizarse el plural para referirse a una persona singular:

—¿Qué hay, Paco? ¿Cómo estamos hoy?

El *plural de modestia* consiste en utilizar la primera persona de plural para ocultar el **yo**:

En este capítulo expondremos los principios de...

El *plural mayestático* es utilizado —cada vez menos— por reyes o autoridades:

Hemos decidido promulgar...

d. Si el verbo va inmediatamente después de dos o más sujetos, se pondrá en plural:

La fruta, el cereal y el pescado son buenos alimentos.

Si el verbo tiene varios sujetos y los precede, puede concertar con el primero de ellos:

Le vendrá la gracia y el sentido común a su debido tiempo.

Si se sitúa entre varios sujetos, concierta con el más próximo:

Mi experiencia me permite y también mis conocimientos, afirmar que...

Si los sujetos van enlazados por las conjunciones *ni, o, bien... bien,* el verbo puede concertar con todos en plural, o en singular con el más próximo:

*No me gust**aron** ni la interpretación, ni el guión, ni el argumento.*
*No me gust**ó** ni la interpretación, ni el guión, ni el argumento.*

e. *El/un/algún/ningún* + nombre femenino singular que empieza por **a** tónica:

El arma, un águila, algún arca, ningún alma.

Pero si entre el determinante y el sustantivo se interpone un adjetivo, el artículo irá en femenino:

La mortífera arma.   Una poderosa águila.

Esta/esa/aquella + nombre femenino singular que empieza por **a** tónica:

No digas «de esta agua no beberé».
Aquella aula es la de Lengua española.

Lo tratado en este capítulo se encuentra en **ESPAÑOL 2000,**

Nivel **medio:** págs. 139 y 140.

capítulo XXIII *los determinantes*

los determinantes

Tienen como función primordial la de determinar al sustantivo, ya sea mediante un artículo, un demostrativo, un posesivo o un indefinido.

Todo elemento adyacente al sustantivo determina; por lo que todo adjetivo es un determinante.

Colocación

En español, los determinantes presentan una colocación relativamente fija, que es la *anteposición*. Algunos autores los llaman *predeterminantes*, por ir delante de todos los demás tipos de determinación:

El coche   *Ese coche*   *Nuestro coche*

Aquel coche negro   *Vuestro coche preferido*

Esquema

ARTÍCULOS	DEMOSTRATIVOS	POSESIVOS		
el libro	*este* libro	*mi* libro	*nuestro* libro	*el* libro *mío, nuestro*
del libro	*ese* libro	*tu* libro	*vuestro* libro	*el* libro *tuyo, vuestro*
al libro	*aquel* libro	*su* libro	*su* libro	*el* libro *suyo, suyo*
la casa	*esta* casa	*mi* casa	*nuestra* casa	*la* casa *mía, nuestra*
de la casa	*esa* casa	*tu* casa	*vuestra* casa	*la* casa *tuya, vuestra*
a la casa	*aquella* casa	*su* casa	*su* casa	*la* casa *suya, suya*
los ojos	*estos* ojos	*mis* ojos	*nuestros* ojos	*los* ojos *míos, nuestros*
de los ojos	*esos* ojos	*tus* ojos	*vuestros* ojos	*los* ojos *tuyos, vuestros*
a los ojos	*aquellos* ojos	*sus* ojos	*sus* ojos	*los* ojos *suyos, suyos*
las manos	*estas* manos	*mis* manos	*nuestras* manos	*las* manos *mías, nuestras*
de las manos	*esas* manos	*tus* manos	*vuestras* manos	*las* manos *tuyas, vuestras*
a las manos	*aquellas* manos	*sus* manos	*sus* manos	*las* manos *suyas, suyas*

los demostrativos

Pueden funcionar como adjetivos, cuando van acompañando al nombre, y como pronombres, cuando lo sustituyen:

Adjetivo: *Este libro es mío.*
Pronombre: *Aquél es de mi hermano.*

Los demostrativos son signos típicamente coloquiales, pues orientan la referencia del discurso dentro de las coordenadas de espacio, tiempo y persona: *este, ese, aquel.*

Los adjetivos demostrativos se colocan, normalmente, antes del nombre:

Esta casa, con ese jardín, la venden aquellos campesinos.

Pero si el sustantivo va precedido de un artículo determinado, el demostrativo pasa a situarse detrás:

La casa esta, con el jardín ese, la venden los campesinos aquellos.

En la lengua común está muy extendido el uso de las formas del pronombre demostrativo para dirigirse a personas. Este uso es, sin embargo, populachero y poco elegante:

Esta dice que no quiere salir con esos.

Las formas neutras *esto, eso, aquello* son siempre invariables para la concordancia:

Esto que dices no lo entiendo.
No puedo estar de acuerdo con aquello: es falso.

Estas formas neutras se agrupan sólo con las formas *mismo, todo, sólo, más* y con los numerales ordinales y adjetivos equivalentes (como *último*).

Eso mismo estaba yo pensando.
Todo aquello ha quedado olvidado.
No repitas esto último.

Las formas este(a) y ese(a) pueden adoptar un valor despectivo cuando van pospuestos al nombre como adjunto:

¡Nos ha fastidiado el niño este!
La doctora esa no acierta nunca.

172

esquema de adjetivos y pronombres demostrativos

ADJETIVOS

Singular		Plural	
MASCULINO	FEMENINO	MASCULINO	FEMENINO
este ese libro aquel	esta esa casa aquella	estos esos libros aquellos	estas esas casas aquellas

PRONOMBRES

Singular			Plural	
MASCULINO	FEMENINO	NEUTRO	MASCULINO	FEMENINO
éste ése aquél	ésta ésa aquélla	esto eso aquello	éstos ésos aquéllos	éstas ésas aquéllas

Este expresa proximidad a la **primera** persona; **ese**, un grado intermedio entre proximidad y lejanía; **aquel** expresa lejanía de la **primera** persona.

Los pronombres *éste, ése* y *aquél* —con sus femeninos y plurales— llevan normalmente tilde. Pero se puede prescindir de ella cuando no exista ambigüedad.

Lo tratado en este capítulo se encuentra en **ESPAÑOL 2000,**

Nivel **elemental:** págs. 28, 43 y 46.
Nivel **superior** : pág. 24.

capítulo XXIV *los posesivos*

los posesivos: forma

Los posesivos determinan al sustantivo indicando posesión o pertenencia en relación con las personas del coloquio.

Por su forma, distinguen la categoría de persona (primera, segunda o tercera) en relación con el poseedor y con la cosa poseída.

Las formas *su* y *suyo* designan indistintamente a un masculino, a un femenino, a un singular o a un plural.

> *El libro de él, de ella: **su** libro, el libro **suyo**.*
> *El libro de ellos, de ellas: **su** libro, el libro **suyo**.*

Las formas plenas se colocan detrás del sustantivo al que acompañan:

> *Hijos **míos**, la casa **tuya**, el pan **nuestro**.*

Las formas apocopadas *(mi, tu, su)* y sus plurales son inacentuadas y preceden inmediatamente al sustantivo con el que concuerdan:

> ***Mi** padre, **tu** tía, **su** abuelo.*
> ***Mis** hermanos, **tus** primas, **sus** nietos.*

colocación

En posición antepuesta, los posesivos no admiten más determinativo que *todo(a)* o *todos(as)*:

> ***Toda** mi fortuna, **todos** nuestros amigos.*

No admiten el artículo en posición antepuesta:

> * ***El** tu sobrino, **las** mis hijas.*

Entre el posesivo y el sustantivo se admite la interposición de un adjetivo calificativo:

> *Mi querida señorita.*
> *Vuestros insoportables niños.*

Cuando el posesivo va pospuesto, puede aparecer el nombre con cualquier determinante:

*Algún hermano **tuyo**.*   *El otro sobrino **suyo**.*

observaciones

Los posesivos *nuestro(a)* y *vuestro(a)* concuerdan en género y número con la cosa poseída:

Nuestro país, vuestra ciudad, nuestras costumbres.

El resto de las formas sólo concuerdan en número, pero permanecen invariables ante el género:

***Mi** caballo: **mis** caballos.*   ***Su** finca: **sus** fincas.*

Para evitar la ambigüedad en el empleo de *su(s)* y *suyo(s)*, suele sustituirse el posesivo por las fórmulas preposicionales:

*Luis y Javier viajan en **su** coche.*
Luis y Javier viajan en el coche de este último.
*Marta y Tomás estaban con **sus** padres.*
Marta y Tomás estaban con los padres de él.

el posesivo y las preposiciones

Aunque muy utilizadas, son incorrectas las expresiones del tipo de:

* *Detrás **mío** había dos señoras.*
* *Empezaron a insultarse delante **suyo**.*
* *Tienes la maleta encima **tuya**.*

En estos casos, el posesivo pospuesto debe sustituirse por el correspondiente pronombre personal acompañado de la preposición *de:*

*Detrás **de mí** había dos señoras.*
*Empezaron a insultarse delante **de él**.*
*Tienes la maleta encima **de ti**.*

En general, el posesivo pospuesto alterna con las formas del pronombre personal con **de**:

En torno suyo/de mí.

Esquema del posesivo

ADJETIVOS

Singular		Plural	
MASCULINO	**FEMENINO**	**MASCULINO**	**FEMENINO**
mi tu | libro su	mi tu | camisa su	mis tus | libros sus	mis tus | camisas sus
nuestro vuestro | libro su	nuestra vuestra | camisa su	nuestros vuestros | libros sus	nuestras vuestras | camisas sus

PRONOMBRES

Singular			Plural	
MASCULINO	**FEMENINO**	**NEUTRO**	**MASCULINO**	**FEMENINO**
el mío el tuyo el suyo	la mía la tuya la suya	lo mío lo tuyo lo suyo	los míos los tuyos los suyos	las mías las tuyas las suyas
el nuestro el vuestro el suyo	la nuestra la vuestra la suya	lo nuestro lo vuestro lo suyo	los nuestros los vuestros los suyos	las nuestras las vuestras las suyas

Lo tratado en este capítulo se encuentra en **ESPAÑOL 2000,**

Nivel **elemental:** págs. 46 y 99.

XXV los indefinidos

los indefinidos

Constituyen un grupo de formas que determinan al sustantivo de manera inconcreta y vaga, y que pueden desempeñar las funciones de sustantivo, adjetivo o adverbio:

SUSTANTIVO : *Se han apuntado **bastantes**.*
Alguien ha entrado aquí.

ADJETIVO : ***Pocas** chicas habrían hecho eso.*
*Vinieron **menos** espectadores que otras veces.*

ADVERBIO : *Han trabajado **demasiado**.*
*No chilléis **tanto**.*

Todo puede aparecer en la relación de las siguientes series:

— *poco, bastante, mucho, harto, demasiado* : idea de gradación.
— *nada, nadie, algo, alguien, alguno, ninguno* : idea de existencia.
— *menos, más, tan, tanto* : idea de intensidad.

Mucho, poco, demasiado, harto

Todos ellos admiten variación de género y número:

Mucho dinero, muchas personas, poca gente, pocos libros.

Mucho/muy

Se usa *mucho* delante de *mejor, peor, más...*
Se usa *muy* delante de adjetivos y sustantivos en singular:

Alfonso es muy alto.
Pedro es muy hombre. pero: *Son muchos hombres.*

También se usa *muy* delante de *mayor, superior, inferior...*

alguien/nadie; alguno/ninguno; algo/nada

Alguien, nadie, algo y *nada* son invariables. No admiten cambio de género ni de número:

> *Alguien habrá escrito esas palabras.*
> *Nadie sabe lo que pasó.*
> *Espero que quede algo.*
> *No habéis estudiado nada.*

Alguien, nadie no se combinan ni con el artículo ni con otros pronombres.

Alguno y *ninguno* pueden variar en género y número, aunque el plural de *ninguno* se usa muy poco:

> *Se han presentado algunas soluciones.*
> *No tengo ningunas ganas de estudiar.*

Cuando preceden a un sustantivo masculino singular, *alguno* y *ninguno* se apocopan:

> *Debe de quedarme algún dinero.*
> *Eso no representa ningún problema.*

Cuando van pospuestos y en relación con otra palabra negativa, alternan:

> *No irá sin temor alguno/ninguno.*

Algo y *nada* se presentan con valor neutro:

> *Algo he escuchado en ese sentido.*
> *Nada es capaz de ilusionarle.*

Algo puede también construirse según las estructuras siguientes:

Algo + | más
        | menos | + adjetivo   *Algo* + *de* + adjetivo

> *Carlos es algo más gordo que tú.*
> *Irene tiene algo de misteriosa.*

Los negativos *nadie, ninguno, nada,* cuando se posponen al verbo, exigen una partícula negativa delante de la frase:

> **No** ha llegado **nadie** todavía.   **No** se oye **nada**.
> **Ni** ha llamado **ninguno, ni** se ha presentado **nadie**.

más/menos; tanto/tan

Normalmente se emplean antepuestos al nombre al que determinan:

> *¿Queréis que pongamos **más** música?*
> *Veo **menos** chicos que otras veces.*
> *No hace falta **tanto** pan.*

Sin embargo, pueden ir pospuestos al sustantivo cuando éste va precedido de *uno* o de los cardinales:

> *Mido **diez** centímetros **más** que tú.*

Casi siempre el segundo término de la comparación va introducido por *que* o *de* para las formas *más* y *menos,* y por *como* y *que,* para las formas *tan* y *tanto.*

> *Hoy está **más** nublado **que** ayer.*
> *No aceptaré **menos de** diez mil pesetas.*
> *He estudiado **tanto como** ellos.*
> *No es **tan** fiero el león **como** lo pintan.*
> *He trabajado **tanto que** no puedo ni moverme.*

La forma apocopada *tan* se utiliza ante adjetivos, participios, adverbios o elementos autónomos de valor circunstancial:

> *Te veo **tan** contento como siempre.*
> *Hoy no habéis venido **tan** temprano.*

La forma *tanto* puede combinarse con *así, cuanto, otro:*

> *Has crecido **tanto así**.*
> *Hizo **tanto cuanto** pudo.*
> *Si me ayudas, yo haré **otro tanto**.*

todo, bastante, cada

Todo admite variación en género y número. Puede presentar forma neutra:

> *Todos los vecinos fueron al entierro.*
> *¿Estáis todas de acuerdo?*
> *A perro flaco, todo son pulgas.*

Bastante admite variación en número pero es invariable en cuanto al género:

> *Tengo bastante dinero.*
> *Me faltan bastantes monedas.*

Cada es un indefinido distributivo e invariable:

> *Cada mochuelo, a su olivo.*
> *Cada oveja, con su pareja.*

Es incorrecto, aunque está muy extendido, el uso de *cada* como sinónimo de *todos(as)*:

> * *Hago gimnasia cada día (= todos los días).*

esquema de adjetivos y pronombres indefinidos

ADJETIVOS				PRONOMBRES			
Afirmativos		Negativos		Afirmativos		Negativos	
Algún	Alguna	Ningún	Ninguna	Alguno	Alguna	Ninguno	Ninguna
Algunos	Algunas	Ningunos	Ningunas	Algunos	Algunas	Ningunos	Ningunas
				PERSONA COSA	Alguien Algo	PERSONA COSA	Nadie Nada

—*¿Hay **algún** restaurante alemán?*
—*¿Tiene usted **alguna** pregunta?*
—*¿Compramos **algunos** libros?*

—*Sí, hay **alguno**.*
—*Sí, tengo **alguna**.*
—*Sí, compramos **algunos**.*
—*¿Vino **alguien**?*
—*¿Has visto **algo**?*

—*No, no hay **ninguno**.*
—*No, no tengo **ninguna**.*
—*No, no compramos **ningunos**.*
—*No, no vino **nadie**.*
—*No, no he visto **nada**.*

uso práctico del indefinido

	PRONOMBRE INDEFINIDO	ADJETIVO DETERMINATIVO	ADVERBIO	SUSTANTIVO
mucho	*Enseñaba **mucho**.*	*Gastó **mucho** dinero.*	*Se lo expliqué **mucho**.*	*Lo **mucho** aburre.*
tanto	*No esperaba **tanto** de ti.*	*No tengo **tanto** tiempo.*	*No hay que gritar **tanto**.*	—
cuanto	*Habló **cuanto** quiso.*	*¡**Cuánto** tiempo pierdes!*	*¡**Cuánto** te esfuerzas!*	—
bastante	*Ya he oído **bastante**.*	*Tienes **bastante** miedo.*	*Llegó **bastante** alegre.*	*Hay lo **bastante**.*
algo	*Voy a decirte **algo**.*	—	*Es **algo** difícil de ver.*	
nada	***Nada** le aprovecha.*	—	*Esto no me gusta **nada**.*	*Ha salido de la **nada**.*

el partitivo

Algo de:	*Tengo **algo de** prisa.*	*¿Quieres **algo de** vino?*
Nada de:	*No tengo **nada de** prisa.*	*No quiero **nada de** vino.*

Lo estudiado en este capítulo se encuentra en **ESPAÑOL 2000,**

Nivel **elemental:** págs. 111, 114 y 185.
Nivel **superior** : pág. 41.

los numerales

Las cantidades pueden expresarse por medio de números, o mediante los nombres de éstos. Sin embargo, es recomendable evitar en lo posible el uso de guarismos en textos que no sean estrictamente matemáticos:

> * *Te estuve esperando 3 horas: desde las 2, hasta las 5.*
> *Te estuve esperando tres horas: desde las dos, hasta las cinco.*

Se exceptúan de esa norma los numerales cardinales indicativos de fechas y los ordinales que forman parte de nombres de reyes:

> *Nació el 27 de agosto de 1943.*
> *Este castillo fue construido en tiempos de Carlos IV.*

Cardinales

Se escriben formando una sola palabra, desde el *uno* hasta el *treinta:*

catorce, veintiuno, veinticuatro, veintiséis...

Pero para los números 16, 17, 18 y 19, se admiten dos formas de escritura:

> *dieciséis : diez y seis*　　*dieciocho : diez y ocho*
> *diecisiete : diez y siete*　　*diecinueve : diez y nueve*

A partir del 31, sin excepción, las unidades se escriben separadas de las decenas:

> *treinta y ocho*　　　*cuarenta y dos*　　　*cincuenta y siete*

El cardinal *uno* y todos los terminados en *uno,* usados en función adjetiva, pueden variar de género:

> *En esta aula caben cuarenta y una alumnas.*

La forma *un* se emplea cuando el sustantivo al que el numeral acompaña es masculino:

He contado cincuenta y un árboles.

Ordinales

Actualmente el uso de los cardinales en lugar de los ordinales va en aumento. Sin embargo, es habitual el uso de los ordinales hasta el *décimo:*

Planta 4.ª (cuarta)   *Siglo IX (noveno)*
Piso 20.º (veinte)   *XI Congreso (once)*

Primero y *tercero* se apocopan cuando preceden a un sustantivo masculino:

Le derribó del primer disparo.
Ha ganado el tercer premio.

Los ordinales compuestos cumplen la regla de acentuación de las palabras compuestas:

décimo + séptimo : decimoséptimo.
décimo + quinto   : decimoquinto.

Partitivos

Excepto *mitad* y *tercio*, las formas fraccionadas admiten variación de género, y todas, sin excepción, variación de número:

*Entró en la meta con una ventaja de tres décim**as**.*
*Ha dividido el queso en dos mitad**es**.*

Multiplicativos

2	*doble*	**5**	*quíntuple/o*
3	*triple*	**6**	*séxtuple/o*
4	*cuádruple/o*	**7**	*séptuple/o*

sustantivos colectivos

Relacionados con los numerales, existen dos grupos de colectivos:

— Sin especificar   : unidad(es), par(es), pareja(s), trío(s), decena(s), docena(s), centena(s), centenar(es), miles, millar(es), millón(es), billón(es).

— Grupos de fechas : semana, mes, bienio, trienio, cuatrienio, quinquenio, lustro, decenio, siglo, milenio.

esquema de cardinales y ordinales

	CARDINALES	ORDINALES
1.	uno/un/una	primero/a, primer
2.	dos	segundo/a
3.	tres	tercero/a, tercer
4.	cuatro	cuarto/a
5.	cinco	quinto/a
6.	seis	sexto/a
7.	siete	séptimo/a
8.	ocho	octavo/a
9.	nueve	noveno/a, nono
10.	diez	décimo/a
11.	once	undécimo
12.	doce	duodécimo/a
13.	trece	decimotercero/a
14.	catorce	decimocuarto/a
15.	quince	decimoquinto/a
16.	dieciséis, diez y seis	decimosexto/a
17.	diecisiete, diez y siete	decimoséptimo/a
18.	dieciocho, diez y ocho	decimoctavo/a
19.	diecinueve, diez y nueve	decimonoveno/a
20.	veinte	vigésimo/a
21.	veintiuno/ún/una	vigésimo/a primero/a
22.	veintidós	vigésimo/a segundo/a
23.	veintitrés	vigésimo/a tercero/a
30.	treinta	trigésimo/a
31.	treinta y uno/un/una	trigésimo/a primero/a
32.	treinta y dos	trigésimo/a segundo/a
40.	cuarenta	cuadragésimo/a
41.	cuarenta y uno/un/una	cuadragésimo/a primero/a
50.	cincuenta	quincuagésimo/a
60.	sesenta	sexagésimo/a
70.	setenta	septuagésimo/a
80.	ochenta	octogésimo/a
90.	noventa	nonagésimo/a
100.	cien/ciento	centésimo/a
101.	ciento uno/un/una	centésimo/a primero/a
153.	ciento cincuenta y tres	centésimo/a quincuagésimo/a tercero(o)/a
200.	doscientos/as	ducentésimo/a
300.	trescientos/as	trecentésimo/a
400.	cuatrocientos/as	cuadrigentésimo/a
500.	quinientos/as	quingentésimo/a
600.	seiscientos/as	sexcentésimo/a
700.	setecientos/as	septingentésimo/a
800.	ochocientos/as	octingentésimo/a
900.	novecientos/as	noningentésimo/a
1.000.	mil	milésimo/a
1.300.	mil trescientos/as	milésimo/a trecentésimo/a
2.000.	dos mil	dos milésimo/a
2.126.	dos mil ciento veintiséis	dos milésimo/a centésimo/a vigésimo/a sexto/a
24.215.	veinticuatro mil doscientos/as quince	veinticuatro milésimo/a docentésimo/a decimoquinto/a
1.000.000.	un millón	millonésimo/a
3.000.000.	tres millones	tres millonésimo/a

esquema de partitivos

1/2.	mitad(es)	1/16.	dieciseisavo(s)/a(s)
1/3.	tercio(s)	1/17.	diecisieteavo(s)/a(s)
1/4.	cuarto(s)/a(s)	1/18.	diecioch(o)avo(s)/a(s)
1/5.	quinto(s)/a(s)	1/19.	diecinueveavo(s)/a(s)
1/6.	sexto(s)/a(s)	1/20.	veinteavo(s)/a(s)
1/7.	séptimo(s)/a(s)	1/21.	veintiunavo(s)/a(s)
1/8.	octavo(s)/a(s)	1/30.	treintavo(s)/a(s)
1/9.	noveno(s)/a(s)	1/40.	cuarentavo(s)/a(s)
1/10.	décimo(s)/a(s)	1/50.	cincuentavo(s)/a(s)
1/11.	onceavo(s)/a(s)	1/60.	sesentavo(s)/a(s)
1/12.	doceavo(s)/a(s)	1/70.	setentavo(s)/a(s)
1/13.	treceavo(s)/a(s)	1/80.	ochentavo(s)/a(s)
1/14.	catorceavo(s)/a(s)	1/90.	noventavo(s)/a(s)
1/15.	quinceavo(s)/a(s)	1/100.	centavo(s)/a(s), céntimo(s)

numeración romana

En la numeración romana se utilizan siete letras mayúsculas, que equivalen a las cantidades siguientes:

I	V	X	L	C	D	M
1	5	10	50	100	500	1.000

Y se combinan de acuerdo con las siguientes reglas:

— Si a la derecha de una cifra se coloca otra igual o menor (nunca mayor), el valor de la primera queda aumentado en el valor de la segunda:

$$I + I = II \qquad V + I = 6 \qquad X + I = 11$$

— Toda cifra colocada a la izquierda de otra mayor, resta de ésta su valor:

$$IV = 5 - 1 = 4$$

— Si entre dos cifras se sitúa otra de menor valor, se combina siempre con la siguiente para restar de ella:

$$LIX = 50 + (10 - 1) = 59$$

— Ninguna letra puede aparecer más de tres veces seguidas:

— Las letras V, L y D no pueden duplicarse, ya que existen otras que representan el doble de su valor: X, C y M, respectivamente.

— El valor de cualquier letra queda multiplicado por mil tantas veces como rayas horizontales aparezcan sobre ella:

$$\overline{IX} = 9.000 \qquad \overline{XIV} = 14.000$$

medidas y equivalencias

Longitud

Miriámetro	:	10.000 metros	Metro :	1 metro
Kilómetro	:	1.000 metros	Decímetro :	0,1 metro
Hectómetro	:	100 metros	Centímetro :	0,01 metro
Decámetro	:	10 metros	Milímetro :	0,001 metro

Superficie

Miriámetro cuadrado : 100.000.000 m^2 Área (decámetro cuadrado): 100 m^2
Kilómetro cuadrado : 1.000.000 m^2 Metro cuadrado : 1 m^2
Hectárea : 10.000 m^2 Decímetro cuadrado : 0,01 m^2

Volumen

Kilómetro cúbico : 1.000.000.000 m^3 Metro cúbico : 1 m^3
Hectómetro cúbico : 1.000.000 m^3 Decímetro cúbico : 0,001 m^3
Decámetro cúbico : 1.000 m^3 Centímetro cúbico : 0,000001 m^3

Peso

Tonelada métrica : 1.000 Kg. Miriágramo : 10 Kg.
Quintal métrico : 500 Kg. Kilógramo : 1 Kg.

Capacidad

Kilolitro : 1.000 l. Decalitro : 10 l.
Hectolitro : 100 l. Litro : 1 l.

Lo tratado en este capítulo se encuentra en **ESPAÑOL 2000,**

Nivel **elemental:** págs. 13, 19, 29, 40, 56 y 140.
Nivel **medio** : pág. 216.
Nivel **superior** : págs. 57 y 59.

XXVII

pronombres personales y formas reflexivas

pronombres personales: forma, género y número

Los pronombres personales sustituyen a los nombres de persona que intervienen en la comunicación. Se configuran en tres personas de singular y tres de plural. Admiten formas tónicas y átonas:

		SINGULAR	PLURAL
FORMAS TÓNICAS	1.ª persona	yo	nosotros(as)
	2.ª persona	tú	vosotros(as)
	3.ª persona	él, ella, ello	ellos/ellas
FORMAS ÁTONAS	1.ª persona	me	nos
	2.ª persona	te	os
	3.ª persona	le, lo, la (se)	les, los, las (se)
FORMAS TÓNICAS CON PREPOSICIÓN	1.ª persona	mí, conmigo	
	2.ª persona	ti, contigo	
	3.ª persona	sí, consigo	

Se da, por tanto, la oposición de género *(nosotros/as),* la oposición de número *(yo/nosotros)* y la posibilidad del *caso* (reflexividad).

El plural en la 1.ª y 2.ª personas no es paralelo al de los sustantivos: *Nosotros* no es la suma de varios *yo,* ni *vosotros* es la suma de varios *tú,* sino de varias personas:

> *nosotros = yo + tú + él...*
> *vosotros = tú + tú + él...*
> *ellos = él + él + ella...*

Admiten variación en cuanto al género la 3.ª persona del singular *(él, ella, ello)* y la 1.ª y 2.ª del plural *(nosotros/as, vosotros/as).* Aparece el neutro *(ello)* en la 3.ª persona de singular.

El caso

Es un morfema nominal, por el que se indica la función que el nombre tiene en el enunciado. Así tenemos:

— caso sujeto: *yo, tú, él/ella/ello, nosotros/as, vosotros/as, ellos/as.*
— caso término de preposición: *mí, ti, sí.*
— caso de compañía: *conmigo, contigo, consigo.*
— caso objeto (con acusativo y dativo): *me, te, se, nos, os, le, lo, la, les, los, las.*
— forma reflexiva: *me, te, se, nos, os.*

Las formas *mí* y *ti* aparecen en distribución complementaria con *yo* y *tú:*

Estuvieron delante de ti y de mí.

pronombres de 3.ª persona: laísmo y leísmo

El sistema etimológico se halla vivo en Andalucía y en Hispanoamérica:

le/les : dativo de persona y de cosa (masculino y femenino).
lo/los : acusativo de persona y de cosa (masculino).
la/las : acusativo de persona y de cosa (femenino).

*Pon**le** una tapa a ese frasco.*
*Si veo a Rosa, **le** voy a decir algo.*
*A Fernando **lo** han traído en coche.*
*Si María no aparece, habrá que buscar**la**.*

Leísmo

le/les : dativo de persona y de cosa (masc. y fem.): *Mánda**le** a Juan ese libro.*
le/les : acusativo de persona (masculino)   : ***Le** vi a Juan.*
lo/los : acusativo de cosa (masculino)   : *Pon**los** ahí encima.*
la/las : acusativo de persona y de cosa (femenino) : *Lléva**las** a bailar.*

El uso del leísmo, muy extendido por toda la península, ha sido admitido por la Real Academia Española.

Laísmo

le/les : dativo de persona y de cosa (masculino) : *Quíta**les** el polvo a los cuadros.*
le/les : acusativo de persona (masculino)   : ***Les** llevo a ver el museo.*

lo/los : acusativo de cosa (masculino)   : *Rómpe**lo** y tíra**lo**.*
la/las : dativo de persona (femenino)   : *Da**la** recuerdos a tu mujer.*

la/las : acusativo de persona y de cosa (femenino): ***La** acompañaré a su casa.*

El uso del laísmo es considerado vulgar por la Real Academia Española. Sin embargo, está muy extendido.

usos del pronombre

En términos generales, podemos afirmar que la utilización de los pronombres personales es, en español, redundante y enfática. Por ello, el uso de las formas tónicas es poco frecuente:

Se dice: *No tengo tiempo.*   Y no: ***Yo** no tengo tiempo.*
            Estás muy guapa.   ***Tú** estás muy guapa.*

Sin embargo, se conserva el uso de las formas átonas y de las tónicas con preposición, incluso cuando no es necesario:

*Mánda**le** a Juan esos libros.*
***A ti** te gusta mucho la ópera, ¿no?*

Bastaría con decir:

Manda a Juan esos libros   (*le* sustituye a *a Juan*).
Te gusta mucho la ópera, ¿no?

Obligatorios

Su presencia se exige en casos de ambigüedad:

— Cuando el verbo está en infinitivo o en gerundio:

*Estar **tú** de acuerdo conmigo es bastante difícil.*
*No quiero que os vayáis estando **yo** ausente.*

— Cuando haya que distinguir entre la 1.ª y la 3.ª personas del singular:

*Amaba (**yo, él, ella**) la música profundamente.*

— Para diferenciar la 2.ª persona de imperativo de la 3.ª singular del presente de indicativo:

*Anda (**tú**)   (**él, ella**) anda.*

— Siempre que exista ambigüedad en las 3.ᵃˢ personas (él/ella, ellos/ellas).

— Cuando el sujeto lleva determinaciones:

> **Yo** mismo lo he oído.
> **Tú,** que siempre lo sabes todo, dímelo.

Estilísticos (no obligatorios)

Son usos enfáticos que tratan de destacar al sujeto, o, lo que es lo mismo, a las personas del coloquio:

> **Yo** estuve trabajando, mientras **tú** dormías plácidamente.

formas átonas

La variante *se (le)* se utiliza cuando le sigue otra tercera persona:

> *Se lo di.*

La presencia de una forma átona no excluye, como ya hemos visto, al sustantivo en función de complemento directo o indirecto:

> *Ese libro se lo di yo a Luis.*

Aparición de la forma átona

— Si el CD o el CI están representados por un pronombre personal tónico, es obligatorio el uso de la correspondiente forma átona:

> *Antonio **la** quiere a ella.*   No: *Antonio quiere a ella.*

— Si el CD o el CI están representados por un sustantivo o por una forma de tratamiento, la aparición de la forma átona depende de la colocación del sustantivo:
Cuando el sustantivo o tratamiento van delante del verbo, la forma átona es obligatoria:

> *Tus documentos **los** tengo en el bolsillo.*

Cuando el sustantivo es CI y va detrás del verbo, la forma átona es potestativa:

> *Transmitiré el mensaje a Luis.*
> ***Le** transmitiré el mensaje a Luis.*

Cuando el sustantivo es CD y va detrás del verbo, la forma átona no puede aparecer:

> *He comprado estos libros.*
> No: ***Los** he comprado estos libros.*

Colocación

El pronombre átono tiene una colocación fija, inmediatamente antes o después del verbo.

Va en posición enclítica, inmediatamente después del verbo, cuando éste está en infinitivo, gerundio, imperativo o presente de subjuntivo con valor imperativo u optativo:

> *Habrá que sacar**lo** de aquí inmediatamente.*
> *Id sacándo**lo** de aquí inmediatamente.*
> *Sacad**lo** de aquí inmediatamente.*
> *Saquémos**lo** de aquí inmediatamente.*

En cualquier otro caso, se antepone al verbo (proclisis):

> ***Lo** sacaron, **lo** sacaré, **lo** sacaríais de aquí inmediatamente.*

Si además del pronombre átono, aparece la forma *se*, ésta irá siempre delante:

> *Dí**se**lo, pusiéron**se**la, lavándo**se**los.*
> ***Se** lo dije, **se** los lavaron.*

esquema de los personales y reflexivos

Pronombre de 1.ª persona *yo*

	Nominativo	*yo*
	Acusativo / Dativo	*me*
Con preposición	Genitivo / Acusativo / Dativo / Ablativo	*mí*
	Ablativo de compañía	*conmigo*

Plural del pronombre de 1.ª persona *nosotros, nosotras*

	Nominativo	*nosotros* / *nosotras*
	Acusativo / Dativo	*nos*
Con preposición	Genitivo / Acusativo / Dativo / Ablativo	*nosotros* / *nosotras*

Pronombre de 2.ª persona *tú*

	Nominativo / Vocativo	*tú*
	Acusativo / Dativo	*te*
Con preposición	Genitivo / Dativo / Acusativo / Ablativo	*ti*
	Ablativo de compañía	*contigo*

Plural del pronombre de 2.ª persona *vosotros, vosotras*

	Nominativo / Vocativo	*vosotros* / *vosotras*
	Acusativo / Dativo	*os*
Con preposición	Genitivo / Dativo / Acusativo / Ablativo	*vosotros* / *vosotras*

Pronombre de 3.ª persona *él, ella, ello.*   SINGULAR   PLURAL

		Masculino	Femenino	Neutro	Masculino	Femenino
	Nominativo	*él*	*ella*	*ello*	*ellos*	*ellas*
	Acusativo	*lo, le*	*la*	*lo*	*los*	*las*
	Dativo	*le, se*	*le, se*	—	*les, se*	*les, se*
Con preposición	Genitivo Acusativo Dativo Ablativo	*él*	*ella*	*ello*	*ellos*	*ellas*

Reflexivo de 3.ª persona

Carece de nominativo

	Acusativo Dativo	*se*
Con preposición	Genitivo Acusativo Dativo Ablativo	*sí*
	Ablativo de compañía	*consigo*

SUJETO	COMPL. INDIRECTO	COMPL. DIRECTO	FORMAS TÓNICAS CON PREPOSICIÓN
yo	*me*	*me*	a, de, para *mí, conmigo*
tú	*te*	*te*	a, de, para *ti, contigo*
él, usted	*le (se)*	*le (lo)*	a, de, para *él/usted*, con *él/usted*
ella, usted	*le (se)*	*la*	a, de, para *ella/usted*, con *ella/usted*
ello		*lo*	a, de, para *ello*
nosotros/as	*nos*	*nos*	a, de, para *nosotros/as*, con *nosotros/as*
vosotros/as	*os*	*os*	a, de, para *vosotros/as*, con *vosotros/as*
ellos/ustedes	*les (se)*	*les (los)*	a, de, para *ellos/ustedes*, con *ellos/ustedes*
ellas/ustedes	*les (se)*	*las*	a, de, para *ellas/ustedes*, con *ellas/ustedes*

formas verbales y formas del pronombre

Verbo + infinitivo + pronombre personal o reflexivo

*Quiere comprar **la casa***   : ***La** quiere comprar.*
                                                    *Quiere comprar**la**.*
Le** quiero comprar **un bolso a mi madre : ***Se lo** quiero comprar.*
                                                    *Quiero comprár**selo**.*
Se** quiere comprar **unos zapatos   : ***Se los** quiere comprar.*
                                                    *Quiero comprár**selos**.*

Imperativo + pronombre personal

FORMA AFIRMATIVA		FORMA NEGATIVA	
Compra la casa.	*Cómprala.*	*No compres la casa.*	*No la compres.*
Saludad a Juan.	*Saludadle.*	*No saludéis a Juan.*	*No le saludéis.*
Dame la llave.	*Dámela.*	*No me des la llave.*	*No me la des.*
Lávate las manos.	*Lávatelas.*	*No te laves las manos.*	*No te las laves.*

> *Sentad+os : Senta-os*
> *Marchad+os : Marcha-os*
> *Excepto: Ir+os : Idos o iros*

valores de la forma lo

a. Pronombre personal/complemento directo:

—*¿Tienes el dinero?* —*Sí, lo tengo.*
—*¿Conoce usted a Tomás?* —*No, no lo conozco.*

b. Artículo neutro con un adjetivo o relativo:

Me gusta lo dulce, pero prefiero lo salado.
Eso es lo mejor que puedes hacer.

c. Contestación abreviada o sustitución de una oración:

—*¿Es usted estudiante?* —*Sí, lo soy.*
—*¿Sabes que mañana no hay clase?* —*Sí, lo sé.*

Usos de se

a. Pronombre personal:

Ve a entregarle el libro a Juan ⟶ *Ve a entregárselo.*
Le di las buenas noches a Luis ⟶ *Se las dí.*

b. Pronombre reflexivo:
El sujeto ejecuta y recibe, a la vez, la acción del verbo:

Marta se asomó a la ventana.

El sujeto no ejecuta directamente la acción, sino que interviene en la acción de otro:

Pedro se ha construido un chalet.

c. Pronombre recíproco.
Los sujetos ejecutan y reciben la acción:

Los dos presidentes se saludaron cordialmente.

d. Pasiva refleja:

> *Se alquilan habitaciones.*

e. Forma impersonal:
Se omite el sujeto.

> *Se rumorea que habrá elecciones en febrero.*
> *Tiene, según se dice, más de mil millones.*

Lo tratado en este capítulo se encuentra en **ESPAÑOL 2000,**

Nivel **elemental:** págs. 69, 79, 88,
           108, 119 y 209.
Nivel **medio**   : pág. 207.
Nivel **superior** : pág. 75.

XXVIII

pronombres relativos, interrogativos y exclamativos

el pronombre relativo

El término relativo alude a su carácter anafórico: el que se refiere a la persona, animal o cosa a los que ya se ha hecho referencia anteriormente. También se entiende como relativo la palabra que relaciona, enlazándolas, una oración con otra. Por lo tanto, relativo es una palabra anafórica o catafórica que actúa como enlace entre oraciones:

*La casa **que** he comprado es muy grande.*
*Mi hermano es **quien** nos lo ha dicho.*

En ocasiones, el relativo no se refiere a sustantivos concretos, sino que reproduce frases o locuciones en las que no se encuentra explícito el antecedente ni el consecuente:

***Quien** mal anda, mal acaba.*

El pronombre relativo establece una relación con el sustantivo al que acompaña en lugar del adjetivo:

*Me compré un coche **barato**: un coche **que** estaba barato.*

Formas

Las formas del pronombre relativo son: *que, cual, quien, cuyo* y *cuanto.* El primero es invariable. Los otros cuatro pueden variar: *cual* y *quien,* en número; *cuyo* y *cuanto,* en género y número:

*El hombre **que** ves es tu padre.*
*Las campanas, **que** se oyen, son de la ermita.*
*Son ellos quien**es** se han negado a venir.*
*Esa es la mujer cuy**as** hijas nos saludaron ayer.*

Funciones

— **que** suele tener siempre un sustantivo como antecedente:

*El **coche** que he comprado no corre nada.*
*Los **niños**, que están en el jardín, no han merendado.*

— **(el) que**, **(la) que**, **(los) cuales**, **(las) cuales** alternan con *quien* y *cuanto:*

> Que se vaya **el que** no esté de acuerdo: **quien** no esté de acuerdo.
> Dame **el** dinero **que** lleves: **cuanto** dinero lleves.

— **el cual, la cual, los cuales, las cuales** se usan cuando el referente está más alejado en la línea del discurso:

> Tenía una **casa** con jardín y piscina, **la cual** había heredado.

— **quien, quienes** pueden funcionar con antecedente o sin él:

> Fue Pedro **quien** primero lo notó.
> **Quien** estudia, saca provecho.

— **cuyo(s)**, **cuya(s)** funcionan siempre como adjetivos:

> Los padres **cuya** hija conoces han llegado.
> Tengo una casa en **cuyo** salón hay muchos cuadros.

— **cuanto(s)**, **cuanta(s)**

> Se gasta en lotería **cuanto** gana.
> **Cuantas** personas pasan, se quedan mirando.

Significación

— **que** es la forma semántica menos precisa y, por lo tanto, más extensa en significación:

> La casa **que** fue derruida.   La niña **que** llora.

— **quien** implica siempre significación de persona:

> **Quien** diga eso es un necio.

— **cuyo** añade significación posesiva a la idea del relativo. Es sustituible por *de que* o *de quien:*

> El jardín **cuyo** dueño hemos conocido.

— **cual** se refiere siempre a sustantivos y puede intercambiarse por *que:*

> Me compré un bocadillo, con el **cual** sacié mi hambre.

— **cuanto** implica idea de cantidad:

> Trabaja **cuanto** puede.

el pronombre interrogativo

Las formas del pronombre interrogativo nos indican que la oración de la que forman parte es una pregunta. Sirven para indicar la finalidad de ésta:

—¿*Cuánto* vale este traje?   —*Veinte mil pesetas.*
—¿*Quién* ha dicho eso?   —*He sido yo.*

En el pronombre interrogativo hay una indeterminación, al no aparecer referido a sujeto alguno.

Forma y funciones

— **qué** alude a cosas. Es invariable:

—¿*Qué* es eso de ahí?   —¿*Qué* son esas cosas?

— **quién(es)** alude a personas. Varía en número, pero no en género:

—¿*Quién* ha venido?   —¿A **quiénes** vas a invitar?

— **cuál(es)** pregunta por seres o cosas de una clase ya conocida. También es variable en cuanto al número pero invariable en cuanto al género:

—¿*Cuál* es tu nombre?   —*De estos guantes, ¿cuáles son los tuyos?*

— **cuánto(s)**, **cuánta(s)** es un cuantificador variable en género y número:

—¿*Cuánto* vale este libro?   —¿*Cuántas* veces te lo he dicho?

esquema de relativos e interrogativos

	SINGULAR		PLURAL	
	MASCULINO	FEMENINO	MASCULINO	FEMENINO
RELATIVOS	(el) que (el) cual quien cuyo cuanto	(la) que (la) cual quien cuya cuanta	(los) que (los) cuales quienes cuyos cuantos	(las) que (las) cuales quienes cuyas cuantas
INTERROGATIVOS	qué quién cuál cuánto	qué quién cuál cuánta	qué quiénes cuáles cuántos	qué quiénes cuáles cuántas

Pronombre relativo *que*

	Sujeto	Complemento directo
Estoy *leyendo un libro*	**que** *es muy interesante*	**que** *tú debes leer también*
Estoy *leyendo una novela*	**que** *es muy divertida*	**que** *debes leer tú también*
Estoy *leyendo dos libros*	**que** *son muy interesantes*	**que** *tú también debes leer*
Estoy *leyendo dos novelas*	**que** *son muy divertidas*	**que** *tú también debes leer*
Tengo *un hermano*	**que** *vive en Madrid*	**que** *todavía tú no conoces*
Tengo *una hermana*	**que** *vive en Madrid*	**que** *tú no conoces todavía*
Tengo *unos amigos*	**que** *viven en Madrid*	**que** *tú todavía no conoces*
Tengo *unas amigas*	**que** *viven en Madrid*	**que** *tú no conoces todavía*

Que: Invariable para masculino y femenino, singular y plural.
Puede ser sujeto y complemento directo.
Puede tener antecedente de cosa y de persona.

pronombres relativos con preposición

a. Cosa

La casa	***a** (la) **que** te diriges*	*es de mis primos.*
Las ruinas	***ante** las **que** estamos*	*son romanas.*
El toldo	***bajo** el **que** estáis*	*os protege del sol.*
Los materiales	***con** (los) **que** trabaja Tomás*	*son difíciles de conseguir.*
El muro	***contra** el **que** se estrelló su coche*	*era de ladrillo.*
La casa	***de cuya** chimenea sale humo*	*es muy antigua.*
La emisora	***desde cuyos** micrófonos os hablo*	*patrocina este programa.*
La botella	***en cuya** etiqueta pone «Rioja»*	*contiene vino tinto.*
Los árboles	***entre cuyas** ramas se filtra el sol*	*son chopos.*

b. Personas

El empresario	***para el que** trabajo ahora*	*es francés.*
La mujer	***por la que** preguntas*	*ya no vive aquí.*
El chico	***de quien** te he hablado*	*va a venir.*
Los ladrones	***tras quienes** va la policía*	*han desaparecido.*
El corredor	***a cuya** bicicleta se le pinchó una rueda*	*se tuvo que retirar.*
El hombre	***hasta cuyo** despacho he llegado*	*debe de ser el jefe.*

el relativo y sus posibles sustituciones

El pronombre relativo puede sustituirse:

— por un sustantivo en aposición, acompañado de un complemento prepositivo:

*El gobernador, **que promovió** la urbanización de la ciudad...*
*El gobernador, **promotor de** la urbanización de la ciudad...*

— por un adjetivo concertado, con o sin complemento prepositivo:

> Me encantan los niños **que juegan.**
> Me encantan los niños **juguetones.**

— por una nueva expresión:

> Esta es una prueba **que confirma** nuestras sospechas.
> Esta es una prueba **en apoyo de** nuestras sospechas.

esquema del interrogativo

a. Personas y cosas: **qué, cuál(es)**
¿**Qué** es tu padre? — Es ingeniero industrial.
¿**Qué** estás leyendo? — Una revista de teatro.
¿**Cuál** es tu hermano? — El de la camisa verde.
¿**Cuáles** son tus zapatos? — Los marrones.

b. Personas: **quién(es)**
¿**Quién** va a venir a vernos? — Va a venir Jesús.
¿**Quiénes** actúan en este concierto? — Tomás y Adela.

c. Cosas y personas: **cuanto(s) cuánta(s)**
¿**Cuánto** dinero llevas? — Quinientas pesetas.
¿**Cuántos** soldados desembarcaron? — Sólo trescientos.
¿**Cuánta** gente cabe aquí? — Entre mil y mil doscientas personas.
¿**Cuántas** horas has tardado? — Tres horas y media.

formas del pronombre exclamativo

Son las mismas del interrogativo, y con las mismas reglas de acentuación, excepto *cuál(es):*

> — **qué**: ¡**Qué** calor hace aquí!
> — **quién(es)**: ¡**Quién** lo hubiera dicho!
>   La forma de plural se usa muy raramente.
> — **cuánto(s)**, **cuánta(s)**: ¡**Cuánto** ruido hay en esta calle!
>   ¡**Cuántas** veces me habrás visto allí!

Lo tratado en este capítulo se encuentra en **ESPAÑOL 2000,**

Nivel **elemental**: págs. 158, 159, 163, 174, 175 y 176.
Nivel **medio** : págs. 40 y 43.

capítulo XXIX *el adverbio*

el adverbio

Es la parte de la oración que modifica al verbo, al adjetivo o a otro adverbio:

> *Esta semana has trabajado **muy bien**.*
> *Tu falda es **demasiado** amarilla.*
> *Al caer, quedó **casi debajo** del camión.*

Formas

Se caracteriza por no combinar con los morfemas de género y número. Sin embargo, admite la gradación, y la sufijación del diminutivo:

> *Has llegado **rápidamente**.*
> *Habla **más fuerte**, por favor.*
> *Tenemos que estar **prontito**.*

Es característica del adverbio la terminación en *-mente:*

> *Lento* ⟶ *lenta**mente**.*
> *Abundante* ⟶ *abundante**mente**.*

elementos que funcionan como adverbios

Pueden desempeñar la función de un adverbio:

— adjetivos calificativos: *Andaba lento.   Hoy vienes locuaz.*

— adjetivos indefinidos: *Sudó bastante.   Corría mucho.*

— sustantivos acompañados de numerales: *Te lo he dicho mil veces.*

— sustantivos adjetivados: *Vivió a lo príncipe.   ¿Agua con gas o sin gas?*

— locuciones: *Sin más ni más.   A ojo de buen cubero.*

— cualquier frase de carácter circunstancial: *A la antigua.   Al anochecer.*

200

clases

		PRONOMINALES					NOMINALES
	Significación	Interrogación	Indefinidos	Demostrativos	Relativos	Relativos indefinidos	
CALIFICATIVOS	Lugar	¿dónde?	en alguna parte	aquí ahí allí	donde	dondequiera que	encima, debajo, delante, detrás, dentro, fuera, cerca, lejos, arriba, abajo, adelante, detrás, adentro, afuera.
		¿adónde?	a alguna parte	acá allá ahí acullá	(a)donde	(a)dondequiera que	
	tiempo	¿cuándo?	alguna vez siempre jamás nunca	entonces ahora hoy ayer mañana	cuando	cuando quiera que	antes, después, mientras, pronto, tarde, temprano.
							bien, mal, mejor, peor, alto, bajo, conforme, duro, buenamente, etc.
	modo	¿cómo?		así tal	como, cual	comoquiera que	
DETERMINATIVOS	cantidad	¿cuánto?	algo nada	tanto así	cuanto como	cuanto quiera que	mucho, poco, bastante, demasiado, apenas, casi, más, menos, medio.
	oracionales	¿sí? / ¿no?	acaso tal vez quizá	sí / no	sí / —	— / —	necesariamente, absolutamente, ciertamente, también.

(Clasificación según R. SECO)

oraciones adverbiales

a. lugar

Donde es la partícula principal y se agrupa con diferentes preposiciones:

*Me voy **a** donde no me conozcan.*
*¿Vienes **de** donde me imagino?*
*Mire usted **por** donde camina.*
*Se fueron **hacia** donde se les había indicado.*
*Llegaré **hasta** donde sea necesario.*

b.   tiempo

Los adverbios temporales por excelencia son:

Me lo encontré **cuando** salía.   Está enfermo **desde** el lunes.
Cántale **mientras** se duerme.   Mira **antes** de cruzar.
Ya te lo enseñaré **luego**.   **Después** me lo explicarás.
Apenas pudo despedirse.   Te querré **siempre**.

Colocación

Normalmente, el adverbio se coloca después del verbo:

Me temo que hemos dormido **demasiado**.

Pero puede colocarse delante para enfatizar su relación con él:

Pronto estaré allí.   **Más** lo sentirás si te quedas.

Sí y *no* anteceden siempre al verbo:

Ella **sí** lo sabía todo.   **No** esperó a que se lo repitieran.

Los adverbios de negación *nunca, jamás, tampoco,* cuando se posponen
al verbo, exigen que éste vaya en forma negativa:

Nunca estás a tiempo.   : **No** estás a tiempo **nunca**.
Jamás te lo confesaría.   : **No** te lo confesaría **jamás**.
Juan **tampoco** viene hoy. : Juan **no** viene **tampoco** hoy.

adverbios en -mente

Muchos adverbios se forman añadiendo el sufijo *-mente* a un adjetivo:

a.   de lugar

Está revestido **interiormente** de mármol.
Externamente, parece no tener ningún daño.

b.   de tiempo

Suele ir a pescar **frecuentemente** al río.
Previamente, nos había mandado los documentos.

c.   de modo

Conduces **imprudentemente** mi coche.
Se ha retirado **discretamente**.

d.   de cantidad

*Esta semana ha llovido **escasamente**.*
*Cenamos **abundantemente** en casa de Javier.*

comparativo y superlativo de los adverbios

*Rosa juega **bien** al tenis.*	*Carmen juega **mejor que** Rosa.*	*Lola es **la que mejor** juega.*
*Paco miente **mucho**.*	*Andrés miente **más que** Paco.*	*Diego es **el que más** miente.*
*Tú trabajas **poco**.*	*Él trabaja **menos que** tú.*	*Yo soy **el que menos** trabaja.*
*Este queso huele **mal**.*	*El pescado huele **peor que** el queso.*	*La verdura es **la que peor** huele.*

Lo tratado en este capítulo se encuentra en **ESPAÑOL 2000,**

Nivel **elemental:** págs. 114, 145, 199 y 243.

capítulo XXX elementos de relación: preposiciones y conjunciones

las preposiciones

La preposición supone la existencia de dos términos relacionados, uno de los cuales ha de ser un sustantivo o expresión sustantivada, que puede manifestarse en forma verbal, adverbial, o incluso, de interjección:

Voy **a** Sevilla.   Disparan **a** matar.   Cantamos **a** dúo.   ¡**A** callar!
La casa **de** Luis. Voy **con** su amiga. Totalmente **de** su gusto. ¡**Por** tu madre!

La preposición puede expresar ideas análogas a las de los diferentes casos de la desaparecida declinación latina. Es invariable en cuanto a género y número, y convierte al sustantivo en complemento de otra palabra:

El Hospital **de** la Santa Cruz.   Un filete **con** patatas fritas.

Clases

— Preposiciones originarias, procedentes del latín:

a   ante   bajo   con   contra   de   desde   en
entre   hacia   para   por   según   sin   sobre   tras

— Preposiciones no originarias, de nueva formación. Muchas de ellas son locuciones prepositivas:

a pesar de   al lado de   además de   antes de
cerca de   con respecto a   de acuerdo con   debajo de
delante de   dentro de   detrás de   en cuanto a
enfrente de   frente a   fuera de   junto a   lejos de

Significación

Las preposiciones pueden indicar opciones significativas de:

— Lugar: Tengo la cartera **encima de** la mesa.
            Julio está **al lado de** Alfredo.

— Tiempo: Llegaremos **después de** la cena.
            Antes de nada, vamos a estudiarlo.

| — Modo: | *Conduce **con** prudencia.* |
| | *He actuado **según** las normas.* |

| — Finalidad: | *Estudió lo justo **para** no suspender.* |
| | *He venido solamente **por** verte.* |

| — Origen: | *Traen regalos **de** Alemania.* |
| | *¿Vienes andando **desde** el parque?* |

| — Causa: | *Han cedido **ante** la presión de sus jefes.* |
| | *Fue arrestado **por** insubordinación.* |

Usos generales

Las preposiciones pueden poner en relación diversas partes de la oración:

— un nombre con su término: *Carne **de** caballo, sofás **de** cuero.*

— un adjetivo con su complemento: *Sencillo **de** explicar, maduro **para** su edad.*

— un verbo con sus complementos: *He visto **a** Juan, viajan **por** carretera.*

— los complementos del verbo entre sí: *Dale estos libros **a** Joaquín.*

Usos particulares

— **a** acompaña a los complementos directos de personas o animales personificados:

  *Vi **a** Juan y **a** María.*   *Tiró **al** gato por la ventana.*

— acompaña al complemento indirecto:

  *Le dije **a** Ana varias cosas.*   *Ponle un collar **a** tu perro.*

El complemento directo puede llevar **a** para evitar la posible ambigüedad con el sujeto:

  *Llamaron **a** los amigos # los amigos.*

— indica destino:

  *Este tren va **a** San Sebastián.*

— **hacia** enfatiza el camino o el movimiento, pero no aclara si se llega o no al destino:

  *Cuando los vi, iban **hacia** París.*

— **hasta** expresa el punto final del movimiento o del período de tiempo:

> *Puedo acercarte **hasta** tu casa.*
> *Voy a esperar **hasta** las ocho.*

— **para** indica la dirección del movimiento:

> *Este autobús va **para** el centro de Madrid.*

— **por** expresa itinerario o trayectoria:

> *Al volver, hemos pasado **por** Zaragoza.*

— **de, desde** indican el origen o el punto de partida, tanto espacial como temporal:

> *Se ha caído una maceta **de** la ventana.*
> *No le había visto **desde** el día de Navidad.*

En ciertos casos, pueden intercambiarse:

> *Abierto **de** nueve a dos : Abierto **desde** las nueve hasta las dos.*
> *Viene **de** El Escorial : Viene **desde** El Escorial.*

Pero cuando el verbo no es de movimiento, es obligado el uso de **desde:**

> ***Desde** aquí no oigo nada.* y no: ***De** aquí no oigo nada.*

Sin embargo, se dice:

> ***De** diez **a** once. **Desde** las diez **a** (hasta) las once.*

— **en**, **dentro de** expresan situación interior o transcurso de tiempo:

> *Se perdió **en** una gruta. Estarás bien **en** un par de días.*
> *Ha caído **dentro** de un pozo. Te veré **dentro de** un mes.*

— **en**, **sobre**, **encima de** indican situación en la superficie de un lugar:

> *Encontrarás tus cuadernos **en** el piano.*
> *Siempre pone los pies **sobre** la mesa.*
> ***Encima de** la cama he dejado el abrigo.*

usos y valores de por y para

— **por** se emplea para expresar:

lugar de paso	*He entrado **por** la ventana.*
medio de realización	*Llámame **por** teléfono.*
intercambio	*Te doy cien mil pesetas **por** el ordenador.*

causa o motivo	*Te han condenado **por** estafa.*
duración temporal	*Hemos venido **por** dos semanas*
agente en oración pasiva	*Fue golpeado **por** los atracadores.*
por + infinitivo = causa	*Tropecé **por ir** distraído.*
estar por + infinitivo	***Estoy por** dimitir, si esto sigue así.*
por lo + adjetivo/participio = causa	***Por lo visto**, no se ha enterado de nada.*

— **para** se usa para indicar:

finalidad	*Os lo dije **para** preveniros.*
destino, término	*Me voy **para** Vigo en moto.*
persona destinataria	*Esta carta debe de ser **para** Elena.*
plazo, fecha	*Terminarán el chalet **para** la primavera.*
adecuación	*No me parece momento **para** reclamar.*
actitud	*Siempre está lista **para** lo que haga falta.*
para + infinitivo (realización inmediata)	*El avión está **para despegar** de un momento a otro.*
como para + infin. (expresión modal)	*Esta sopa está **como para chuparse** los dedos.*

usos y valores de a, en, de

— **a** se emplea para expresar:

dirección	*Mañana viajaré **a** Oviedo.*
tiempo	*¿Ya estamos **a** viernes? Os espero **a** las cinco.*
manera	*No me gusta escribir **a** máquina. Pollo **a** la riojana.*
complemento directo de persona	*Han expulsado **a** dos jugadores.*
complemento indirecto	*¿Le doy dinero **a** Víctor? Ponle pilas **a** este reloj.*

— **en** puede indicar:

lugar en el que se está	*Nos encontramos **en** las afueras de Orense.*
tiempo	***En** diez minutos estoy ahí. Hace calor **en** verano.*
medio de locomoción	*Unos han venido **en** tren; otros, **en** coche.*
modo	*Te lo estoy diciendo **en** serio ¿eh?*

— **de** sirve para expresar:

lugar de origen	*Espárragos **de** Aranjuez, naranjas **de** Valencia.*
tiempo	*Hoy es 24 **de** noviembre **de** 1995.*
materia	*Cubiertos **de** plástico, figuras **de** cera.*
sistema	*Radio **de** transistores, coche **de** pedales.*

modo	*Desayuno de pie. Lo han hecho de mala manera.*
estado de ánimo	*¿Estás de mal humor?*
propiedad	*Esta finca es del Marqués de Navacerrada.*
partitivo	*¿Podéis darme un poco de pan?*

preposiciones temporales

A	*A primeras horas de la mañana, se despertó.*
	A media noche estábamos en la carretera.
Alrededor de	*Mi marido llega alrededor de las ocho.*
A las	*Llegaron a las siete de la tarde.*
	El avión despega a las diez.
Antes de	*Antes de la comida me lavo las manos.*
De... a...	*Doctor Mata: Consulta de 5 a 8.*
	Cerrado de dos a cuatro.
De = Durante	*De noche estudiábamos en tiempos de examen.*
Desde... hasta...	*Anduvimos desde el amanecer hasta bien entrada la noche.*
	Te he esperado desde las once hasta la una.
Después de	*Después de la comida tomo una taza de café.*
Durante	*Durante el invierno hace aquí mucho frío.*
En	*Estarán aquí en media hora.*
	En diez minutos nos vamos.
Entre	*Te espero entre las dos y las tres.*
Para	*Lo tendré arreglado para la semana que viene.*
	Para la primavera tenéis que haber acabado.
Por	*Nos quedamos por una semana.*
	Por la tarde hace más calor.
Tras = Después de	*Lo encontraron tras dos días de búsqueda.*
	Tras la tempestad viene la calma.

preposiciones causales y modales

A causa de	*El aeropuerto está cerrado a causa de la niebla.*
A pesar de	*A pesar de sus súplicas, ella se marchó.*
Con	*Con este humo, casi no se puede respirar.*
Debido a	*Hemos cerrado la tienda debido a las obras.*
En lugar de	*Se fue al cine, en lugar de estudiar filosofía.*
En vez de	*Me pondré el abrigo, en vez de la gabardina.*
Según	*Según las encuestas, el nuevo presidente será Gómez.*
Sin	*No habríamos acabado sin vuestra colaboración.*

Verbos + preposición

a	con	de	en	por	sobre
acoplar(se)	acabar	acordarse	admitir	abogar	abalanzarse
adaptar(se)	acordar	acusar(se)	afanarse	acabar	afianzar(se)
adherir(se)	comenzar	bajar(se)	ahondar	agobiarse	alzar(se)
afectar	comerciar	constar	bañar(se)	atravesar	apoyar(se)
aficionar(se)	contar	defender(se)	basar(se)	cambiar(se)	asentarse
aprender	continuar	diferenciar(se)	caer(se)	castigar	brincar
bajar(se)	convenir	fiarse	confiar	censurar	caer(se)
comenzar	cumplir	importar	convertir(se)	comprar	conversar
decidirse	disfrutar	irse	creer	decidir(se)	decidir
empezar	disgustarse	informar(se)	entrar	enfadarse	descargar
exportar	empezar	hablar	esforzarse	estar	discutir
ir(se)	enfadarse	levantar(se)	especializar(se)	hablar	documentarse
jugar	entenderse	ocuparse	estar	interesarse	estar
llegar	familiarizarse	padecer	exceder	luchar	hablar
marchar(se)	gozar	preocuparse	graduarse	merodear	informar(se)
negarse	hablar(se)	proteger(se)	hablar	molestarse	jurar
obligar(se)	irritarse	reclamar	ir(se)	pasar	lanzar(se)
poner(se)	jugar	sacar	mediar	preguntar(se)	montar(se)
referirse	negociar	salir(se)	pensar	quejarse	opinar
remitir(se)	pactar	sufrir	profundizar	suspirar	pegar
renunciar	romper	tratar	quedar(se)	sustituir	poner(se)
salir(se)	salir	tratar(se)	sentar(se)	tomar	subir(se)
subir(se)	simpatizar	untar(se)	situar(se)	trepar	tratar
venir(se)	soñar	venir(se)	trabajar	vender(se)	vencer
volver(se)	terminar	volver(se)	volver(se)	votar	versar

las conjunciones

Son, al igual que las preposiciones, elementos de relación. Pero, a diferencia de ellas, no sólo relacionan palabras, sino también oraciones.

La conjunción es la palabra que establece una relación coordinativa o subordinativa entre formas lingüísticas.

Clases

COORDINANTES:

— Copulativas: expresan unión.

Vinieron Carmen y Ricardo; Ana e Irene.
No tengo dinero ni tiempo para eso.
Es una lástima que seas tan tozudo.

— Disyuntivas: expresan opción entre varias posibilidades.

> *¿Venís en el coche **o** vais andando?*
> *Acostúmbrate a ellos, **u** olvídalos.*
> ***Bien** sea voluntariamente, **bien** por obligación, os vais a callar.*
> ***Ya** fuera por desgana, **ya** por ignorancia, no asistió a la reunión.*
> *Siempre está allí, **ora** cantando, **ora** bailando.*

— Adversativas: indican una objeción o un obstáculo que se vence.

> *Es difícil, **pero** lo conseguiré.*
> ***Aunque** no estés de acuerdo, tendrás que resignarte.*
> *Hacía mal tiempo, **mas** acabó saliendo el sol.*
> *Tengo poco tiempo; **sin embargo**, os concedo unos minutos.*
> *Me voy de viaje; **no obstante**, te dejo las llaves.*
> *No debes rendirte, **sino** luchar y salir adelante.*
> *No se amilanó, **antes** le plantó cara.*

— Ilativas: expresan consecuencia o efecto.

> *Está la luz encendida, **luego** deben de estar en casa.*
> *Que lo compre él, **pues** tiene más dinero.*
> *Pepe no vendrá; **por consiguiente**, no hay que esperarle.*

— Causales: indican causa o motivo.

> *Tropecé **porque** estaba todo muy oscuro.*
> *No irá hoy a clase, **pues** está constipada.*
> ***Puesto que** tú lo dices, hay que creerlo.*

SUBORDINANTES

— Conjunciones que introducen oraciones subordinadas sustantivas en función de sujeto o de complemento directo:

> *Haz **como que** no le has visto.*
> *Dime **si** piensas hacerlo.*

— Conjunciones que introducen oraciones subordinadas de complemento de un nombre o de un adjetivo:

> *No tengo nada **de que** arrepentirme.*
> *Busca una llave **con que** abrir esta puerta.*

— Conjunciones que introducen oraciones adverbiales (de lugar, tiempo, modo o cantidad):

> *Ahí es **donde** nos encontramos a Isabel.*
> *Allí estaban **cuando** los llamaron.*
> *Se lo advertí **antes de que** se fuera.*

*Así es **como** debemos hacerlo.*
*Le dio **cuanto** tenía en la cartera.*

— Conjunciones concesivas y condicionales.

*Lo conseguiré **aunque** me cueste toda la tarde.*
*Siéntate, **si** encuentras una silla.*
*Quedaos, **ya que** habéis venido.*

locuciones conjuntivas

Se llaman así las formadas por preposiciones o adverbios, acompañados frecuentemente de la forma conjuntiva *que:*

*Ahora te quedas castigado, **para que** aprendas.*
*Tienes que comértelo, **después que** te lo han traído.*
*No le convencerás, **por más que** insistas.*

Lo tratado en este capítulo se encuentra en **ESPAÑOL 2000,**

Nivel **elemental:** págs. 147, 208, 221 y 234.
Nivel **medio**   : págs. 38, 73, 95, 214 y 215.

la oración

Esencialmente se ha intentado definir la oración como:

— la unidad mínima de comunicación.
— un conjunto de palabras que tiene sentido completo.
— un conjunto de palabras que se caracteriza por el tono de la voz o por los signos de puntuación, en cuanto que puede ser *aseverativa, exclamativa* o *interrogativa.*

La oración es un tipo especial de enunciado en el que el verbo —o sintagma verbal— contiene dos unidades significativas, entre las que se establece la relación predicativa de *sujeto* y *predicado:*

La casa es grande.

Llamamos *frase* a cualquier grupo de palabras conexas y dotadas de sentido, pero no con sentido completo en sí mismas, y que carecen de núcleo verbal en el que se pueda cumplir la relación predicativa:

Los álamos altivos.
En aquel lugar solitario y aburrido.

Todas las oraciones son frases, pero no todas las frases son oraciones.

los componentes de la oración

La oración consta de un sintagma sujeto y un sintagma predicado, los cuales están relacionados por la concordancia de número y persona. En español, desde una perspectiva formal, no es necesario explicitar el sujeto, puesto que el predicado contiene al sujeto que no se explicita:

Los niños corren.
Como todos los días a las doce.

a. Sintagma nominal o sujeto

Para que exista un sintagma nominal o sujeto tiene que haber un núcleo cuya función la desempeñe el sustantivo o cualquier otra palabra que inmediatamente se sustantivará:

La casa *es grande.*　　**Ella** *es estudiosa.*
Esto *es fenomenal.*　　**Querer** *es poder.*

El sustantivo es la palabra esencial del sujeto; cualquier otra palabra que no sea sustantivo, pero que actúe como sujeto, se sustantiva. Desde una perspectiva semántica, el sustantivo sirve para designar a los objetos o personas pensándolos como conceptos independientes.

El sujeto de la oración se reconoce por su relación con el verbo:

*El **hombre** del traje gris anduvo a la deriva.*

¿Quién anduvo a la deriva?　　El **hombre** del traje gris.

Modificadores del sintagma nominal

Si observamos la oración anterior, el sujeto *hombre* va acompañado de la palabra *el*, que funciona como modificador. Cuando los términos (*el, gris, este…*) van unidos al núcleo sin que haya de por medio preposición alguna, se denominan modificadores directos.

Los adjetivos son, por excelencia, los modificadores directos:

*El hombre del traje **gris**.*

Se denominan modificadores indirectos cuando entre el núcleo y el término que lo modifica existe un nexo que se llama preposición:

*El hombre **del traje** gris.*

Clases de sujeto

— Sujeto expreso:　　**Las aceras** *están destrozadas.*
— Sujeto no expreso:　*Estudias demasiado.* (tú)
　　　　　　　　　　Estoy llegando al colmo de mi resistencia. (yo)

Cuando varias oraciones tienen el mismo sujeto, sólo se expresa en la primera de ellas.

Antonio *es alto, delgado, pálido. Lleva gafas oscuras. Anda por las esquinas…*

— Sujeto cero (en las llamadas oraciones impersonales):

Conviene esforzarse todos los días.

— Sujeto agente: El que realiza la acción anunciada por el verbo:

Pablo *habla demasiado.*

— Sujeto paciente: El que recibe la acción anunciada por el verbo:

Las elecciones *han sido muy reñidas.*

b. Predicado

El predicado es lo que se afirma o niega del sujeto. En toda oración puede establecerse una relación entre sujeto y predicado, y, entonces, se llamará oración *bimembre:*

Juan estudia español.

Cuando no se expresa la relación sujeto-predicado, se denomina oración *unimembre:*

Nieva, truena, graniza.

La palabra que ocupa el núcleo del predicado es un verbo:

Luis duerme como un lirón.

Clases de predicado

— el predicado nominal atribuye al sujeto cualidades expresadas por un sustantivo, un adjetivo, una frase o una expresión:

Camilo es escritor.
Ese coche es grande.
Los niños son estos.
Esto es vivir.

El predicado nominal se llama también *atributo.*

— el predicado verbal atribuye al sujeto algún fenómeno, cambio o accidente. A los verbos que enuncian lo que hace el sujeto se les llama *predicativos:*

Los niños juegan todos los días.

Complementos del predicado

Completan el significado verbal:

— Complemento directo:

Me dedicaron una calle del pueblo.
Vi a Juan al salir del cine.
Susana dijo que no vendría con nosotros.

La preposición **a** acompaña al complemento directo cuando se trata de un nombre de persona, animal o cosa personificada:

> *Han operado **a Maribel**.*
> *Conducía **a Rocinante** por las riendas.*

También cuando el complemento directo es un sustantivo común con artículo o determinante:

> *Felicita **a los alumnos**.*
> *No castiguéis **a esos chicos**.*

Se emplea **a** delante de él, ella, ellos, ellas, este(a), ese(a), aquel(la), alguien, nadie, ninguno(s), ninguna(s), quien(es), cualquiera, otro(s), otras(s), cuando se refieren a personas:

> *No veo **a nadie**.*   *Espero **a otra persona**.*

Si el complemento directo está formado por dos o más nombres, la preposición **a** irá sólo en el primer nombre, en el caso que la lleve:

> *El maestro felicitó **a Juan y Carmen**.*

— Complemento indirecto:

> *Llevo flores **a mi hermana**.*
> *Compra un cuadro **para el salón**.*
> ***Me** hicieron una oferta atractiva.*

— Complementos circunstanciales:

Añaden al sentido de la oración nuevos datos de la experiencia, pero no afectan al sentido concreto del verbo. Pueden ser expresados:

a. A través de un adverbio o locución adverbial:

> *Llovió **copiosamente**.*   *Espero verte **por la mañana**.*

b. A través de sustantivos o frases sustantivadas, acompañadas de preposición:

> *Veo toda la sierra **desde mi ventana**.*

c. Con frases de sentido temporal o cuantitativo sin preposición:

> *Estuvo en la calle **todo el día**.*

d. Con estructuras en las que aparecen el infinitivo, gerundio o participio:

> *Al **llegar**, se dio cuenta de su error.*
> ***Estudiando** mucho, podemos aprobar.*
> *Se dispersaron, **terminada** la reunión.*

Desde un punto de vista semántico, se pueden señalar en el complemento circunstancial los matices siguientes:

De lugar:	Caminábamos **por la ciudad.**
De tiempo:	**Hace mucho** que no hablo con él.
De modo	Duerme **plácidamente.**
De medio:	Me han pagado **con dinero falso.**
De compañía:	Estuve en casa **con mis padres.**
De cantidad:	Ha comprado varias antigüedades **por poco dinero.**
De origen:	Vengo **de Ciudad Real.**
De materialidad:	Cubrieron las ventanas **con visillos.**
De causa:	No llores **por la leche derramada.**
De fin:	Ahorra **para comprarte el ordenador.**
De duda:	**Tal vez** estén en el salón.

la concordancia

El sujeto concuerda con el predicado en número y persona. Cuando un predicado tiene varios sujetos coordinados debe ponerse en plural y concordar con la primera persona si la hubiere; si no, con la segunda, y así sucesivamente:

Los chicos est**án** estudiando.
Juan, tú y yo nos va**mos** a divertir.
Tú y ella lo pas**áis** muy bien.

Cuando el sujeto es un nombre colectivo, el verbo puede concertar con el sujeto en plural, aunque lo normal es la concordancia en singular:

La multitud arremet**ió** contra las vallas.
La mitad de los alumnos se escapar**on**.

El verbo *ser*, cuando es copulativo, concuerda a veces con el atributo y no con el sujeto:

Lo que importa **son** la gloria y las medallas.

Si dos o más infinitivos sin artículo funcionan como sujetos, el verbo concuerda con ellos en singular:

Oír y callar **es** norma de prudencia.

Cuando el sujeto está formado por dos o más demostrativos neutros, el verbo debe ir en singular:

Esto y aquello **es** todo lo que puedo decir.

la oración simple

Es la que consta de un sujeto y un predicado. Por tanto, tiene un solo verbo conjugado.

Dejé el coche en el taller.

Si tiene más de un sujeto y predicado, se considera oración compuesta:

Me voy, pero volveré pronto.

Al definir la oración como unidad del habla real con sentido en sí misma, es necesario tener en cuenta la intención del hablante, es decir, la intención o actitud con que se enuncia aquello que se quiere decir:

Mañana lloverá.
Creo que mañana lloverá.
Es probable que mañana llueva.

Además de lo expresado, puede indicar sorpresa, mandato, admiración, exclamación, etc.:

¡Mañana lloverá!   ¿Mañana habrá clase?

Los gestos, la entonación, la situación de los interlocutores, los signos léxicos gramaticales, la disposición anímica, la expresión de duda, posibilidad, deseo, admiración, etc., varían según sea la actitud del hablante en cada caso concreto.

Un segundo criterio es la naturaleza gramatical y semántica del sujeto y predicado.

Por ello, las oraciones simples pueden dividirse así:

	enunciativas	afirmativas
		negativas
SEGÚN LA CALIDAD PISCOLÓGICA DEL JUICIO O SEGÚN LA ACTITUD DEL HABLANTE	exclamativas	
	de posibilidad	
	dubitativas	
	interrogativas	
	optativas	
	desiderativas	
	exhortativas	
SEGÚN LA NATURALEZA GRAMATICAL DEL PREDICADO	copulativas	
	predicativas	
	transitivas	
	intransitivas	
	pasivas	
	reflexivas	
	recíprocas	
	impersonales	

(Esta clasificación es válida también para las oraciones compuestas.)

clases de oraciones simples

a. Atendiendo a la actitud del hablante, se pueden distinguir:

Enunciativas

Las oraciones enunciativas (declarativas o aseverativas) son las afirmativas y las negativas. El hablante siempre atribuye una realidad objetiva a los dos términos del juicio. Son oraciones en las que se asegura algo, bien para afirmar o para negar. Se expresan gramaticalmente con el verbo en indicativo:

> Te espero en la calle.
> En este país llueve demasiado.

En las negativas nos hemos de valer de adverbios de negación: *no, nunca, jamás* y cuantas palabras o expresiones indiquen la negación:

> No quiero ir al cine contigo.
> Nunca había llovido tanto como ahora.

Los adverbios de negación van siempre delante del predicado. La negación puede reforzarse con otro término negativo:

> No permite que nunca nadie le lleve la contraria.

Si se utiliza la negación *no* seguida de la preposición *sin*, se produce afirmación:

> No sin protestas, se disolvió la reunión. (= con protestas).

Algunas expresiones, como *en mi vida, en todo el día/mes/año, un bledo, un comino,* etc., transfieren a la oración un sentido negativo:

> En toda la semana se le ha visto por aquí.
> En mi vida había oído una cosa igual.

Exclamativas

Las oraciones exclamativas expresan sentimientos de sorpresa, admiración, alegría, dolor, ira, pesadumbre. La entonación y los signos ortográficos (¡!) las diferencian:

> ¡Qué bien has estado!
> ¡Qué belleza la tuya!

Las interjecciones y otro tipo de construcciones pueden ayudar en el habla a realizar la exclamación: ¡ah!, ¡oh!, ¡Uy!, ¡hola!, ¡ya!... ¡Qué pena! ¡Por Dios! ¡Qué diantres! ¡Pero hombre!...

Las oraciones exclamativas guardan cierta relación con las enunciativas. A medida que la emotividad va perdiendo fuerza y la afectividad es más moderada, nos vamos acercando a las enunciativas.

De posibilidad y dubitativas

Si al hablar expresamos vacilación en lo que decimos, si creemos que no hay seguridad para afirmar o negar categóricamente, estamos ante la expresión de probabilidad o duda.

— Para expresar la posibilidad y probabilidad en el presente y en el pasado inmediato, se utilizan los futuros simple y compuesto, respectivamente:

> *Podrán acercarse.* (Probablemente pueden acercarse)
> *Habrán podido acercarse.* (Probablemente se han podido acercar)

— Para expresar la posibilidad y probabilidad de un hecho pasado o futuro se emplea el condicional simple:

> *Serían las nueve.* (Probablemente eran las nueve)
> *Se estudiará el asunto con detenimiento.* (Será estudiado)

Cuando la posibilidad o probabilidad se enuncia en el pasado perfecto, usamos el condicional perfecto o el pluscuamperfecto de subjuntivo:

> *Habrían sido como unos momentos.*
> *Si hubiera empujado la puerta…*
> *Te confirmo que habríamos publicado la encuesta.*

— El futuro de probabilidad indica suposición o vacilación referidas al presente:

> *Estará enfadado.*

— El sentido de la duda (*acaso, tal vez, quizá*) es más evidente con el empleo del modo subjuntivo:

> *Tal vez vuelva mañana.*

Interrogativas

Las oraciones interrogativas son aquellas que, por medio de una pregunta acompañada de los signos de interrogación (¿?) o de una entonación especial, se dirigen al interlocutor para que nos resuelva una duda o nos diga algo que ignoramos.

Las oraciones interrogativas se dividen en: generales o dubitativas y parciales o determinativas.

Si preguntamos sobre la verdad o falsedad de un juicio, la pregunta es general:

¿Has comprado el pan?

En la oración interrogativa, el verbo suele ocupar el primer lugar, aunque sintácticamente puede ir primero el sujeto y luego el verbo:

¿Tienes dinero?
¿El tren llegará tarde?
El tren ¿llegará tarde hoy?

En las parciales o determinativas se pregunta, no por el predicado, sino por el sujeto o por cualquier otro de los elementos de la oración:

¿Quién irá al cine?

Las oraciones interrogativas parciales se caracterizan por llevar, al comienzo de la oración, los términos siguientes: *qué, quién, cuál, cuándo, cuánto, dónde, cómo:*

¿Dónde está el bolígrafo?
¿Cuándo llegará el correo?

Optativas o desiderativas

En las oraciones optativas o desiderativas expresamos el deseo de que se cumpla o no un hecho. Suelen ir en subjuntivo:

Me encantaría ir contigo.

Cuando el deseo es posible en su realización, empleamos el presente de subjuntivo:

¡Ojalá te diviertas!

Cuando el deseo pensado lo sentimos como imposible en su realización, empleamos el pretérito imperfecto de subjuntivo:

¡Si tuvieran más medios!

Cuando el deseo se refiere al futuro, empleamos el presente o el pretérito imperfecto de subjuntivo, sin que se vea afectado el sentido:

¡Ojalá pueda por sí sola! ¡Ojalá pudiera por sí sola!

Exhortativas o imperativas

Las oraciones exhortativas recogen matices que expresan mandato, orden, consejo, ruego, petición, súplica, reproche, prohibición... si bien, a veces, es difícil distinguir con nitidez la complejidad de estos matices.

Si el mandato expresa exhortación y a la vez incluye ruego, se elige el presente de subjuntivo:

Callen, por favor.

Si el mandato es de carácter imperativo, es decir, expresa una orden que tiene que ser cumplida, el verbo selecciona el imperativo:

Trabajad por el bien de todos.

Cuando el mandato es una prohibición, empleamos el presente de subjuntivo:

No trabajéis tanto.

Las formas del imperativo o del subjuntivo pueden ser sustituidas por el futuro de indicativo cuando el mandato o la prohibición se exprese de un modo absoluto y sin referencias a tiempo y lugar:

No permitirás que te engañen.
Estudiarán, a buen seguro, con cabeza.

   b. De acuerdo con la naturaleza gramatical del predicado, hay dos clases de oraciones: de predicado nominal y de predicado verbal:

De predicado nominal o COPULATIVAS: *Carlos es médico.*
                                          Elisa está enferma.
De predicado verbal o PREDICATIVAS: *Luis juega al fútbol.*
                                          El perro come en el jardín.

Atributivas o de predicado nominal con verbo copulativo

Por medio de los verbos copulativos *ser* o *estar*, se atribuyen al sujeto conceptos:

— adjetivos: *Alfonso es alto.*
— sustantivos: *Carmen es médico.*
— pronominales: *Jorge es aquél.*
— preposicionales: *Gonzalo es de Salamanca.*
— adverbiales: *Nieves está cerca.*

Se llaman oraciones copulativas porque con los verbos *ser* y *estar* se enlaza al sujeto con el predicado, sin que el verbo añada o altere el significado de la oración.

Cuando el complemento predicativo es sustantivo, pronombre, adjetivo determinativo o infinitivo, se utiliza el verbo ser:

Dormir es soñar.   *Juan José es músico.*

Se suele emplear *estar* con los juicios que dependen inmediatamente de nuestra experiencia: *El agua está fría.*

Además de *ser* y *estar*, existen verbos que pueden servir de nexo entre el sujeto y el complemento predicativo ya que presentan en común con *ser* y *estar* la concordancia del adjetivo con el sujeto. Son verbos que pueden expresar estado, movimiento, situación, apariencia, tales como: *dormir, vivir, quedar, hallar, llegar, venir, parecer*:

> *El atleta llegó cansado.*
> *El niño duerme feliz.*
> *Sonia parecía enfadada.*

Predicativas o de predicado verbal

Cuando la oración expresa una transformación en la que participa el sujeto, se llama predicativa. Es indispensable la presencia del verbo:

> *Adolfo barre.*
> *Adolfo barre la calle.*
> *Adolfo barre la calle todos los días.*

Los complementos del predicado son: complemento directo, complemento indirecto y complemento circunstancial.

Las oraciones de predicado verbal pueden ser: transitivas, intransitivas, reflexivas, recíprocas, impersonales, unipersonales y pasivas.

TRANSITIVAS son las que tienen complemento directo:

> *Pedro ha alquilado **un coche** para su trabajo.*

INTRANSITIVAS son las que carecen de complemento directo, aunque vayan acompañadas de otros complementos. Semánticamente, el verbo intransitivo es autosuficiente:

> *El lunes **anduvimos** de viaje.*

PASIVAS son aquellas en que el sujeto paciente sufre o recibe la acción verbal que otro ejecuta. La oración pasiva consta de un sujeto paciente, de un verbo transitivo en voz pasiva y de un complemento agente que, si aparece, va precedido de las preposiciones *de* o *por*:

> *La obra fue acabada **por** su hijo.*

REFLEXIVAS son aquellas cuyo sujeto es al mismo tiempo agente y paciente, y cuyo predicado lleva una de las formas átonas de los pronombres personales. Estos pronombres pueden desempeñar la función de complemento directo o indirecto:

> ***Me** lavo la cara en un momento.*
> ***Me** baño todos los días.*

RECÍPROCAS son las oraciones en que dos o más sujetos ejecutan y a la vez reciben la acción del verbo. Son una especie de reflexivas, puesto que necesitan de las formas átonas *se, nos, os:*

> *Luis y Carmen **se** cartean.*
> *Los cinco hermanos **os** habéis peleado.*

IMPERSONALES son las oraciones que se caracterizan por la indeterminación del sujeto. Éste no se expresa, bien por desconocimiento, bien porque se calla intencionadamente, o porque no tiene interés para el interlocutor:

> *Llaman a la puerta.*
> *Me felicitaron por mi discurso.*
> *No nos dejan entrar.*

UNIPERSONALES son las que aparecen formuladas en tercera persona de singular. Son, en general, verbos que indican fenómenos de la naturaleza:

> *Aquí llueve frecuentemente*
> *Ha granizado toda la mañana.*

También pueden formarse oraciones unipersonales con los verbos *ser, estar, haber* y *hacer:*

> *Es muy temprano para eso.*
> *Está bastante nublado.*
> *Hay pocas posibilidades de éxito.*
> *Hace un valor sofocante.*

esquema de la oración simple

ATRIBUTIVAS o cualitativas			*La mañana era soleada* *Sé discreta, Laura.*
OBJETIVAMENTE o por la naturaleza del predicado	PREDICATIVAS	transitivas:	*El profesor trae sus apuntes.*
		intransitivas:	*Esta chica baila demasiado.*
		de verbo de estado:	*Residen en Santander.*
		pasivas:	*El poema ha sido escrito por ella.*
		reflexivas:	*Víctor se ha puesto las botas.*
		recíprocas:	*José y Juan se insultaron.*
		impersonales:	*Aquí se habla alemán.*
		unipersonales:	*Nieva en las montañas con intensidad.*

		indicativas:	Mi hermano vendrá esta noche.
		de posibilidad:	Eso lo supondrías.
	RESPECTO	dubitativas:	Tal vez eso no sea cierto.
	DEL PREDICADO	dubitativo-interrogativas:	¿Qué podremos hacer?
SUBJETIVAMENTE		dubitativo-exclamativas:	¡Que ahora me vengas con eso!
o por la naturaleza		exhortativas:	No os olvidéis de ella.
psicológica		optativas:	¡Válgame Dios! ¡Ojalá salga el sol!
del juicio			
		afirmativas:	Creced y multiplicaos.
	RESPECTO	negativas:	Yo no lo haría.
	DEL JUICIO	interrogativas:	¿Ya ha salido el tren?
		exclamativas:	¡Qué mal huele!

Lo tratado en este capítulo se encuentra en **ESPAÑOL 2000,**

Nivel **superior:** pág. 183.

capítulo XXXII la oración compuesta

la oración compuesta

Cuando en la oración se da más de una relación sujeto-predicado, es decir, cuando en ella encontramos dos o más verbos relacionados entre sí, hablamos de oración compuesta.

Ignacio trabaja en un banco y Sergio estudia medicina.
Dice Luis que ayer te vio en el partido.

Los elementos necesarios para reconocer una oración compuesta son: la entonación y las palabras de relación y subordinación. Sin embargo, en algunas ocasiones estas palabras no están presentes (*asíndeton*):

Llegué, vi, vencí.

yuxtaposición

En los períodos yuxtapuestos, las pausas y la entonación marcan la unidad oracional:

— Yuxtaposición coordinada:

Iré a ver a los abuelos; volveré pronto. (adversativa)
Fui al fútbol el sábado; volveré el domingo. (copulativa)

— Yuxtaposición subordinada:

No pude entrar: no tenía edad suficiente. (causal)
Os ruego me devolváis la llave. (sustantiva)

oraciones coordinadas

Las oraciones compuestas por coordinación se caracterizan por estar relacionadas entre sí por conjunciones coordinantes (copulativas, disyuntivas, adversativas o distributivas). Poseen el mismo nivel o categoría sintáctica, ya que nunca funcionan como elemento sintáctico de otra:

Yo planifico y tú controlas.
Es agradable, pero me disgusta en algo.

Según el tipo de relación que establezcan, las oraciones coordinadas pueden ser:

Copulativas

Resultan de la simple adición: al contenido de una oración se le suma el de otra, y así sucesivamente. Van relacionadas por las conjunciones *y, e, ni, que*:

*Voy al cine **y** me divierto, **e** incluso me emociono.*

Con frecuencia, cuando hay más de dos miembros, sólo se coloca la conjunción entre los dos últimos:

*Juan lee, Pablo oye música **y** María pinta.*

Si las oraciones son negativas, se utiliza *ni*.

*No me ha dado tiempo **ni** tenía ganas de ir a verla.*

La conjunción **y** adopta la forma **e** cuando precede a palabras que comienzan por **i-** o por **hi-**.

*Metieron todos los papeles **e** incluyeron el dinero.*
*Enseguida se ponen excitadas **e** histéricas.*

Distributivas

Cuando varias oraciones o miembros del discurso se sitúan en diferentes planos semánticos y van relacionados en forma correlativa por palabras como *uno(a), otro(a), este(a), aquí, allí, tal... tal..., ora... ora, bien... bien*:

***Unos** pescan en los ríos; **otros**, en el mar.*

Disyuntivas

Ofrecen una alternancia, mediante la que sus significados se excluyen entre sí:

*O te dedicas a estudiar, **o** a divertirte.*
*No tiene término medio: o ama **u** odia.*

La conjunción **o** adopta la forma **u** cuando precede a palabras que comienzan por **o-** o por **ho-**:

*No tienes elección: o te vas de aquí, **u** obedeces las normas.*
*Por su aspecto, podría ser belga **u** holandés.*

Adversativas

Indican contrariedad: lo que en una se afirma puede contradecir en menor o mayor grado lo que se afirma en otra. Van relacionadas por expresiones tales como: *pero, mas, sino, aunque, sin embargo, antes bien, no obstante, más bien...*:

*Se ha esforzado mucho, **pero** no lo ha conseguido.*

esquema de la coordinación

Copulativas: *Es constante **y** trabajador, **y** ningún obstáculo le detiene.*
Distributivas: ***Éste** adornaba las paredes, **aquél** colgaba guirnaldas...*
Disyuntivas: *¿Vienes con nosotros **o** te vas con ellos?*
Adversativas: *No creo que se haya enterado, **aunque** se lo he dicho dos veces.*

oraciones subordinadas

Van unidas por conjunciones o elementos subordinantes. Presentan diferente nivel sintáctico, ya que una de ellas —la principal— predomina sobre el resto —la subordinada—. Se funden de tal modo entre ellas, que pueden funcionar tanto de sujeto, como de complemento unas de otras:

*Me dijo **que** había olvidado el justificante.*
***Cuando** salía de casa, comenzó a llover.*

esquema de la subordinación

Sustantivas

— de sujeto: *No es probable **que** aciertes.*
— de complemento directo: *Me explicó **quiénes** eran sus amigos.*
— de complemento indirecto: *He venido **a que** me escuchéis.*
— de complemento circunstancial: *Entré **sin** que se diera cuenta.*
   *Arturo ha salido: se ha ido **con** Felisa.*
— finales: *Le doy permiso **para** que no venga hoy.*

Adjetivas (o de relativo)

— de antecedente callado: *Sé **de quién** procede esto.*
— especificativas: *Trajimos los libros **que** había en la mesa.* (sólo esos)
— explicativas: *Nos comimos las uvas, **que** estaban maduras.* (todas)
— sustantivadas: *No veo **al que vigila** la puerta.* (al vigilante)

Adverbiales

— de lugar:	*El banco **donde** nos sentábamos, ya no está allí.*
— de tiempo:	*He llegado **cuando** os ibais.*
— de modo:	*¿Quieres hacerlo **como** es debido?*
— comparativas:	*Susana es **como** yo la imaginaba.*
	*Tendrán **tanto como** se merecen.*
	*Este queso es mucho **peor que** el manchego.*
— consecutivas:	*Eran **tantos que** no cabían allí.*
— condicionales:	***Si** no llueve, saldremos a navegar.*
	***Si** no fueras tan terco, podrías ceder.*
— concesivas:	***Por más que** me lo expliques, no lo entiendo.*
— causales:	*Será verdad, **puesto que** tú lo dices.*
	*No voy a la ópera **porque** me aburre.*

Lo tratado en este capítulo se encuentra en **ESPAÑOL 2000,**

Nivel **superior**: págs. 184 y 185.

capítulo XXXIII oraciones subordinadas sustantivas y adjetivas

oraciones subordinadas

La tradición gramatical distingue: sustantivas, adjetivas y adverbiales, según la función que desempeñen respecto de la principal:

— La sustantiva desempeña dentro de la oración compuesta el mismo papel que juega el sustantivo en la oración simple: sujeto, complemento directo o complemento de un sustantivo o adjetivo:

> *El que lleva esta carta* (el portador) *te dará noticias mías.*
> *Han herido al que conducía el coche* (al conductor).

— La adjetiva (o de relativo) cumple la misma función que el adjetivo en la oración simple. Se introduce mediante pronombres relativos:

> *Ha hablado con el hombre que no tenía pelo.*
> *El profesor, que estaba nervioso, les dio vacaciones.*

— La adverbial (o circunstancial) desempeña en la oración compuesta el mismo papel que el adverbio juega en la simple:

> *Nos iremos de aquí cuando deje de nevar.*
> *Lo hicieron como Dios les dio a entender.*

subordinadas sustantivas

Son, como ya se ha indicado, las que desempeñan las funciones privativas del sustantivo:

a.   en función de sujeto

Suelen ir introducidas por la partícula *que,* con o sin artículo:

> *No me importa **que** me desprecies.*
> *Éstas son **las que** nos telefonearon.*

b. en función de complemento directo

Pueden adoptar las construcciones siguientes:

— Enunciativas (estilo directo e indirecto)

En estilo directo, el que habla o escribe reproduce textualmente lo citado:

> *«Congelaremos los impuestos», dijo el ministro.*

En estilo indirecto, el que habla o escribe hace suyas las palabras dichas por otro:

> *El ministro dijo que congelarían los impuestos.*

El estilo indirecto libre reproduce el estilo directo con fórmulas del indirecto:

> *Al salir a la calle, hacía frío, voy sin abrigo.*
> (Pensé que voy sin abrigo, pensé: *voy sin abrigo*.)

Si el verbo subordinado está en indicativo, puede ir en cualquier tiempo —salvo el pretérito anterior— aunque el principal vaya en presente, pasado o futuro:

> *Digo que voy.   Digo que iré.   Digo que iba.   Digo que iría.*

Si el verbo subordinado está en subjuntivo, con verbos de mandato, ruego o deseo, puede ir en cualquier tiempo posterior al del verbo principal:

> *Deseaban que saliera.   Se negó a que viniesen.*

Con los demás verbos en presente o en futuro, el subordinado puede ir en cualquier tiempo del modo subjuntivo:

> *No creo que hayan salido.*

— Interrogativas indirectas

Funcionan como complemento directo de un verbo de entendimiento, lengua o sentido (*saber, conocer, entender, decir, preguntar, responder...*):

> *Te pregunto si ya has acabado el examen.*
> *Dime cómo puedo resolver este asunto.*

c. en función de complemento de un nombre o adjetivo

> *Estoy contento de que me hayan elegido.*
> *Circula el rumor de que lo están arrinconando.*

estilo directo/estilo indirecto

<table>
<tr><td align="center">ESTILO DIRECTO</td><td align="center">ESTILO INDIRECTO</td></tr>
<tr><td>**Dice/ha dicho/dirá:**</td><td>**Dice/ha dicho/dirá**</td></tr>
<tr><td>
«**Soy** andaluz».
«**Estaba** muy contento».
«**Llegué** el sábado por la mañana».
«Me **he despertado** muy tarde».
«**Habíamos ido** a la playa».
«**Voy** a lavar el coche».
«Os **avisaré**».
</td><td>
que **es** andaluz.
que **estaba** muy contento.
que **llegó** el sábado por la mañana.
que se **ha despertado** muy tarde.
que **habían ido** a la playa.
que **va** a lavar el coche.
que nos **avisará**.
</td></tr>
</table>

VERBO INTRODUCTOR EN:

Presente/perfecto/futuro + *que* + verbo en el mismo tiempo que en el estilo directo.

<table>
<tr><td>**Dijo/decía/había dicho:**</td><td>**Dijo/decía/había dicho**</td></tr>
<tr><td>
«**Soy** andaluz».
«**Estaba** muy contento».
«**Llegué** el sábado por la mañana».
«**Me he despertado** muy tarde».
«**Habíamos ido** a la playa».
«**Voy** a lavar el coche».
«Os **avisaré**».
</td><td>
que **era** andaluz.
que **estaba** muy contento.
que **había llegado** el sábado…
que se **había despertado** muy tarde.
que **habían ido** a la playa.
que **iba** a lavar el coche.
que nos **avisaría**.
</td></tr>
</table>

VERBO INTRODUCTOR EN:

Indefinido/Imperfecto/Pluscuamperfecto + *que* + Imperfecto/Pluscuamperfecto/Condicional.

orden/mandato en el estilo directo e indirecto

<table>
<tr><td align="center">**Dice/ha dicho:**</td><td align="center">**Dice/ha dicho:**</td></tr>
<tr><td>
«**Tened** mucho cuidado».
«No **gritéis** tanto».
</td><td>
que **tengamos** mucho cuidado.
que no **gritemos** tanto.
</td></tr>
<tr><td align="center">**Dijo/decía/había dicho:**</td><td align="center">**Dijo/decía/había dicho:**</td></tr>
<tr><td>
«**Pregunte** lo que quiera».
«No **comáis** mucho».
</td><td>
que **preguntara** lo que quisiera.
que no **comiéramos** mucho.
</td></tr>
</table>

VERBO INTRODUCTOR EN:

a.	Presente/Perfecto		**a.**	Presente de subjuntivo.
b.	Indefinido/Imperfecto/	+ *que* +	**b.**	Imperfecto de subjuntivo.
	Pluscuamperfecto			

oraciones subordinadas adjetivas o de relativo

Las oraciones subordinadas adjetivas modifican a un sustantivo de la oración principal, por lo que desempeñan en la oración compuesta la misma función que desempeñaría el adjetivo en la oración simple:

*Las motos **que hacen ruido** (ruidosas) son insoportables.*

Estas oraciones se llaman también de relativo porque normalmente van introducidas por un pronombre relativo. La forma del relativo más utilizada es *que:*

*Han sido detenidos los terroristas **que** pusieron la bomba.*

Pueden ser:

Especificativas

Restringen, delimitan y concretan el significado del antecedente. Suponen una adjetivación necesaria para comprender en toda su plenitud el antecedente. No se puede suprimir la oración adjetiva sin cambiar sustancialmente el significado de toda la oración. Ortográficamente, no llevan coma de separación entre el antecedente y el pronombre relativo:

*Han arrancado los árboles **que** estaban secos.*
(Sólo los que estaban secos.)

Explicativas

Explican la cualidad circunstancial del sustantivo. No son necesarias para entender el sentido total de la oración. Pueden, por tanto, suprimirse sin alterar el significado:

*Han arrancado los árboles, **que** estaban secos.*
(Todos, porque estaban secos)

En las explicativas se coloca ortográficamente una coma entre el antecedente y la forma del relativo.

funciones del pronombre relativo

El pronombre relativo, que siempre concierta con su antecedente en género y número, puede desempeñar diferentes funciones en la oración subordinada que introduce:

Sujeto: *Perdimos el tren **que** salía a las ocho.*
Complemento directo: *El perro **que** compré cojeaba de una pata.*
Complemento circunstancial: *La empresa **en la que** trabajo es una multi-nacional.*

oraciones de relativo sustantivadas

Es muy frecuente la sustantivación de la oración adjetiva cuando va introducida por los relativos compuestos *el que, lo que, los que* y *las que:*

***Los que** no tengan billete, que se bajen.*
***La que** quiera fumar es libre de hacerlo.*

modalidades sintácticas en la frase de relativo

OFICIO QUE DESEMPEÑA	SUBORDINADA DE RELATIVO
Sujeto:	*Ésta es la medicina que te va a curar.*
Complemento directo:	*Compré el libro que me recomendaste.*
Complemento indirecto	
— con **a**:	*Éste es el coche a que me refería.*
— con **para**:	*Antonio, para quien trabajo, es mi jefe.*
Complemento circunstancial	
— con **de**:	*He visto a tu hija de quien tanto presumes.*
— con **en**:	*Llegará un día en que lo reconozcas.*
— con **por**:	*El chico, por quien me preguntas, ha aprobado.*
— con **sin**:	*El cliente, sin que haya reclamado, ha pagado su deuda.*
Adjetivo	
— de sujeto:	*El perro, cuyo dueño no está, me ha mordido.*
— de complemento directo:	*¿Conoces la casa cuya fachada es barroca?*
— de compl. directo con preposición:	*Tengo el libro de cuyo autor me hablabas.*

Lo estudiado en este capítulo se encuentra en **ESPAÑOL 2000,**

Nivel **medio** : págs. 68, 69 y 71.
Nivel **superior** : pág. 89.

XXXIV oraciones subordinadas adverbiales o circunstanciales

oraciones subordinadas adverbiales o circunstanciales

Son las que desempeñan en la oración compuesta la función de complemento circunstancial. Están integradas en la oración principal y la modifican en su conjunto.

Pueden ser:

De lugar

Expresan una circunstancia de lugar respecto de la acción principal, indican su situación en el espacio. Se unen a la principal mediante el adverbio relativo *donde:*

> *He dejado los libros **donde** tú me dijiste.*
> *Vete **a donde** quieras.*

Las subordinadas adjetivas suelen llevar el antecedente expreso:

> *Ésta es la casa **donde** nací,*

las subordinadas adverbiales de lugar carecen de antecedente:

> *Voy **donde** tú me digas.*

De tiempo

Indican una circunstancia de tiempo anterior, simultánea o posterior a la acción de la principal. Los nexos más frecuentes son: *cuando, mientras, apenas, tan pronto (como), antes (de) que, después (de) que...*

> *Conocí a Carmen **cuando** estuve en Santa Pola.*
> *Estudia **mientras** escucha la música.*

De modo

Expresan cómo se realiza la acción de la principal; guardan similitud expresiva con los adverbios de modo. Sus nexos más frecuentes son: *como, según, según que, como para* y *como si:*

> *Hice la ensalada **como** me dijiste.*
> ***Según** lo que has escrito, te mereces el suspenso.*

Comparativas

Sirven de término de comparación respecto de un elemento de la oración principal.

Pueden ser:

— de cantidad

Estas oraciones pueden ser de igualdad, de superioridad y de inferioridad. Los nexos de igualdad son: *tan...como; tal...cual; tanto...como; igual...que; como si:*

> No son **tan** ricos **como** parecen.
> Este río es **igual** de caudaloso **que** aquél.

Los nexos de superioridad: *más...que; más...de;* y los de inferioridad: *menos...que:*

> Gastas **más** de lo **que** ganas.
> Es **menos** agradable **que** su prima.

— de modo

Expresan igualdad o semejanza entre los dos conceptos oracionales comparados. Los nexos principales son: *tal cual, como, así:*

> Era joven y bella, **tal cual** me la habían descrito.

Consecutivas

Expresan una consecuencia que es el resultado de la acción principal. Van enlazadas por conjunciones o locuciones llamadas también ilativas: *luego, pues, por consiguiente, conque, por tanto, por lo tanto, así que, así pues:*

> Pienso, **luego** existo.
> Es tarde ya; **por lo tanto**, la tienda está cerrada.

Cuando la consecuencia es el resultado de una acción, circunstancia o cualidad indicada con intensidad, adopta una estructura correlativa: *tan...que; tanto...que; tal...que* son los nexos que se utilizan:

> Es **tan** sincero **que**, a veces, ofende.
> He comido **tanto que** ahora no me puedo mover.

Causales

Expresan la causa, razón o motivo por el cual acontece la acción principal. Los nexos usuales son: *porque, pues, puesto que, ya que:*

> No he salido **porque** no he querido.
> **Ya que** no me llamaste, pensé que no estabas.

expresión del lugar y del modo

Lugar: Mediante el adverbio relativo *donde*, precedido o no de preposiciones.

Modo: Mediante las conjunciones: *como, según, según que.*

- Se construyen en **indicativo** si expresan tiempo presente o pasado:

  Donde estoy mejor es en casa.
  Voy a renunciar según me aconsejas.

- Se construyen en **subjuntivo** si expresan tiempo futuro:

  Siéntate donde quieras.
  Hazlo como te plazca.

Expresión del tiempo

Mediante las conjunciones y locuciones conjuntivas: *a medida que, antes de, antes que, apenas, cuando, después de, en cuanto, entre tanto, hasta que, mientras, mientras que, mientras tanto, siempre que, tan pronto como:*

  Antes de que compres el coche, consulta.
  Mientras que esté con nosotros, todo irá bien.
  Tan pronto como amanezca, continuaremos el viaje.

- **Al + infinitivo:** *Al llegar a casa, me encontré que me habían robado.*

- Se construyen en **indicativo si expresan tiempo presente o pasado:** *Cuando la miro, me sonríe.*

- Se construyen en **subjuntivo si expresan tiempo futuro:** *Devuélveme el libro cuando lo leas.*

- Cuando el sujeto es el mismo, puede el verbo subordinado construirse en **infinitivo:** *Daremos un paseo después de cenar.*

Expresión de la comparación

Pueden establecerse relaciones de igualdad, de superioridad y de inferioridad.

- **Igualdad**

tal ... cual (como)	*tan ... como*
tanto ... como	*igual ... que*
cuanto ... tanto	*como si*

  *Gasta **tanto** dinero **como** gana.*
  *Cantan **como si** fueran profesionales.*

236

- **Superioridad**   *más ... que*
  *Juan es **más** alto **que** Pedro.*
  más grande ——————→ *mayor*
  más pequeño ——————→ *menor*
  más bueno ——————→ *mejor*
  más malo ——————→ *peor*
  *Tu coche es (más bueno) **mejor** que el mío.*

- **Inferioridad**   *menos ... que*
  *Tu reloj es **menos** caro que el mío.*

Nota: Cuando el verbo de la principal y el de la subordinada es el mismo, se omite el de la subordinada.

> *Pedro ha estudiado **más que** Juan (ha estudiado).*

expresión de la consecuencia

1. Mediante las conjunciones: ***Luego, conque, así que, por (lo) tanto, así pues, por consiguiente:***

   *No tengo dinero, **así que** no me puedo comprar un coche.*
   *Hace frío, **así que** abrígate.*

2. **Tan + adjetivo + que:** *Es **tan** listo que nadie le puede engañar.*

3. **Tal + nombre + que:** *Dijo **tales** palabras que todos se sintieron conmovidos.*

4. **Tanto + nombre + que:** *Tiene **tantos** juguetes que no hay sitio en su habitación.*

5. **Tanto + verbo + que:** ***Tanto** estudié que aprobé.*

6. **Tan + adverbio + que:** *Voy **tan** lejos que tardaré más de dos horas en llegar.*

NOTA: La proposición consecutiva se construye normalmente en indicativo o en imperativo.

expresión de la causa

1. Mediante las conjunciones: *porque, pues, puesto que, ya que, como.*
2. Mediante las locuciones: *a causa de que, por cuanto, en vista de que.*
3. *Por, a causa de, debido a* + sustantivo.
4. *Por* + infinitivo.

> *No bebo **porque** me hace daño.*
> *No vendrá, **ya que** está enfermo.*
> ***En vista de que** no estudia, se quedará sin premio.*
> *Cantaron **por** obligación.*
> ***Por** correr demasiado, se hizo daño.*

Lo estudiado en este capítulo se encuentra en **ESPAÑOL 2000,**

Nivel **medio:** págs. 92, 94, 128, 131 y 132.

capítulo XXXV oraciones subordinadas adverbiales o circunstanciales

Concesivas

Expresan una dificultad que obstaculiza el cumplimiento de la acción principal sin llegar a impedir su realización. Pueden hallarse en indicativo o subjuntivo. En indicativo se afirma la existencia real del obstáculo que impide la realización de la principal, aunque esa dificultad se rechaza por ineficaz:

> *Aunque **has lavado** el coche, sigue estando sucio.*

Cuando el verbo subordinado está en subjuntivo, la dificultad se siente como posible:

> *Aunque **estés** preparado, no nos iremos todavía.*

Los nexos más frecuentes son: *aunque, si bien, a pesar de (que), aun cuando, así:*

> *No voy a callarme, **a pesar de** sus protestas.*
> ***Aun cuando** tuvieras razón, no debes gritar tanto.*

Condicionales

Formulan una condición que es necesaria para que se cumpla la acción de la oración principal:

> ***Si** te comes todo eso, vas a engordar muchísimo.*

Se llama *prótasis* a la frase que introduce el *si* condicional. *Apódosis* es la conclusión a la que se llega:

> ***Si** todos estáis de acuerdo, aprobaremos este punto.*

— Prótasis en indicativo

En la prótasis podemos emplear cualquier tiempo de indicativo, menos el pretérito anterior, el futuro o el condicional. En la apódosis se puede utilizar el imperativo, cualquier tiempo de indicativo (menos el pretérito anterior) o cualquiera del subjuntivo (menos el futuro):

> *Si no os gustaba este plan, podíais haberlo dicho.*
> *Si no os gusta este plan, decidlo.*

— **Prótasis en subjuntivo**

El tiempo empleado depende de la acción:
Si se denota acción presente o futura, la prótasis va en imperfecto de subjuntivo; la apódosis, en imperfecto de subjuntivo (forma -*ra*) o en condicional simple:

> *Si tuviera dinero, probablemente te lo diera.*
> *Si estuviera aquí tu padre, no lo permitiría.*

Si denota acción pasada, la prótasis estará en pluscuamperfecto de subjuntivo; la apódosis, en pluscuamperfecto de subjuntivo (forma -*ra*) o en condicional (simple o compuesto):

> *Si hubiese sabido que eras tú, te hubiera dejado pasar.*
> *Si hubiéramos salido a las diez, ahora estaríamos ya en Burgos.*

Cuando el verbo subordinado está en futuro de subjuntivo, la prótasis irá en futuro (simple o perfecto) de subjuntivo; la apódosis, en presente o futuro de indicativo, o en condicional simple:

> *Si no hubiere otro heredero, la herencia se repartiría entre ellos.*
> *Si se declarare desierto, el premio se acumularía a los fondos.*

Los nexos más frecuentes son: *si, siempre que, ya que, con tal (de) que, con sólo que, a condición de que, en el supuesto de que…*

Finales

Indican la finalidad de la acción de la oración principal. Van introducidas por las locuciones conjuntivas *a que, para que, a fin de que, con objeto de que…*

> *He venido **a que** me des una explicación.*
> *Le llamó **con objeto de que** llegaran a un acuerdo.*

Cuando los verbos principal y subordinado tienen el mismo sujeto, el verbo de la subordinada va en infinitivo:

> *Le insultó **para** provocarle.*

Cuando los verbos de la principal y de la subordinada tienen sujeto diferente, el verbo de la subordinada va en subjuntivo:

> *Le insultó **para que** se sintiera humillado.*

expresión de la concesión: indicativo y subjuntivo

Cuando la concesión recae sobre un hecho real:

— Tiempo pasado, cuando la acción se cumplió:

Aunque corrí mucho, no llegué a tiempo.

— Tiempo presente o futuro: cumplimiento cierto:

Aunque le he advertido, sigue haciendo lo mismo.
Aunque mañana es sábado, iremos a trabajar.

Cuando la concesión recae sobre un hecho supuesto o inseguro:

— Tiempo pasado, si la acción no se cumplió:

Aunque se lo hubieras asegurado, no te habría creído.

— Tiempo presente o futuro: cumplimiento incierto:

Aunque los castiguen, no se corregirán.

expresión de la condición

Condición realizable:

— Indicativo	*Si te gusta, cómpratelo.*
	Si veo a Ernesto, le daré tu recado.
	Si ha estado allí, le habrán visto.
— Imperativo	*Acuéstate pronto y te levantarás descansado.*

Condición irrealizable o simple hipótesis:

— Subjuntivo	*Si yo estuviera en tu lugar, no lo permitiría.*
	Si hubiera llovido, habría habido menos restricciones.
— Infinitivo con de o caso de	*De haberme escuchado, no lo habrías hecho así.*
	Caso de terminar hoy, mañana lo entregaremos.
— Gerundio	*Fumando menos, no toserías tanto.*
— **con** o **sin**, más un complemento de modo	*Con la luz encendida, no hubieras tropezado.*

esquema de la frase condicional

	CONDICIONAL REAL	CONDICIONAL IRREAL
Presente	*Si tengo tiempo, te veo luego.* *te veré luego.*	*Si tuviera tiempo, te vería luego.*
Pasado	*Si he aprobado, dímelo.* *te habrás enterado,* *ha sido estupendo.* *daré una fiesta.* *tengo que celebrarlo.*	*Si hubiera aprobado, te lo habría dicho.* *te lo hubiera dicho.* *no estaría triste.*

expresión de la finalidad: subjuntivo

Mediante las conjunciones *para que, a que,*

y también *a fin de (que), con objeto de (que), con el fin de (que), con vistas a, de manera que…*

Hablo para que se enteren.

*Id **a que** os corten el pelo.*

*Me esconderé **a fin de que** no me vean.*

*Juega con vistas **a que** le seleccionen.*

*Ponlo **de manera que** se vea bien.*

*Van **con objeto** de felicitarle.*

El verbo de la oración subordinada va en infinitivo precedido de *a, para, a fin de,* cuando tiene el mismo sujeto que el de la principal:

*Han entrado **a ver** la película.*   *Se entrenaba **para** correr.*

Lo estudiado en este capítulo se encuentra en **ESPAÑOL 2000,**

Nivel **medio:** págs. 50, 59, 102, 103, 114, 116 y 118.

índice

VII.   EL VERBO

VIII.   EL VERBO

IX.   EL VERBO

X .   EL VERBO

XI.   EL VERBO

XII.   EL VERBO

XXXII. LA ORACIÓN COMPUESTA

XXXIII. ORACIONES SUBORDINADAS SUSTANTIVAS Y ADJETIVAS

XXXIV. ORACIONES SUBORDINADAS ADVERBIALES O CIRCUNSTANCIALES

XXXV. ORACIONES SUBORDINADAS CIRCUNSTANCIALES O ADVERBIALES